Katharina Zimmer

Erste Gefühle

Katharina Zimmer

Erste Gefühle

Das frühe Band zwischen Kind und Eltern

Kösel

Für meine Töchter, die mir, jede auf ihre Weise, mein Leben geschenkt haben. –
Und:
Mit Dank für Rachel und Justine.

ISBN 3-466-30476-8

Druck und Bindung: J. Ebner, Ulm
Umschlag: Elisabeth Petersen, München
Umschlagmotiv: Tony Stone Bilderwelten. Fotograf: Penny Gentieu

1 2 3 4 5 · 02 01 00 99 98

Gedruckt auf umweltfreundlich hergestelltem Werkdruckpapier (säurefrei und chlorfrei gebleicht)

Inhalt

Wie entwickeln sich Gefühle beim ungeborenen Kind?

Vom ersten Augenblick an

Von dem Moment an, da ich wusste, dass ich schwanger war, habe ich mit meinem Baby gesprochen«, sagt Chantal. »Morgens vor der Arbeit ging ich in den Garten und pflückte frische Kräuter und Früchte, was gerade so da war. Während ich sie frisch aus der Hand aß, sprach ich mit Marine (so heißt ihre heute fünfjährige Tochter). Ich benannte alles, was ich in den Mund steckte, Petersilie, Minze, Beeren. Und ich sagte zu ihr: »Das ist für dich.« Sie lacht und meint: »Ich tat das einfach so, ohne darüber nachzudenken. Es schien mir ganz offensichtlich, dass das Kind nun an allem teilnahm.«

Sind Mütter, die so etwas tun, ein bisschen verrückt? Oder verfügen sie über ein Wissen, das in anderen Kulturen als unserer westlichen zum Allgemeingut gehört? Es gibt Zivilisationen, wo das Kind sogar schon als Projekt, als sehnlicher Wunsch der Eltern »existent« ist. Zum Beispiel in Bali, wo man glaubt, dass ein Kind besonders schön und klug wird, wenn der Ehemann bei der Zeugung mit seiner Frau besonders liebevoll umgeht und sie den Liebesakt als etwas Schönes erleben kann.

Auch bei uns »lebt« das Kind häufig sogar schon vor der Zeugung in der Phantasie der Eltern. Gelegentlich ist sie allerdings mehr von Ehrgeiz als von Liebe geprägt. Zum Beispiel dann, wenn mit merkwürdigen Praktiken unbedingt ein Junge oder ein Mädchen gezeugt werden soll. Da muss einer der Partner einen oder beide Schuhe beim Liebesakt anbehalten oder vorher seinen Körper durch Anstrengung und Fasten schwächen, da gehen potentielle Eltern auch schon mal zum modernen »Hexenmeister«, der sich nicht nur mit künstlicher Befruchtung, sondern mit interessanten Gen-Mixturen auskennt. Vielleicht können sie da ja nicht nur gesunde Jungen oder Mädchen bestellen, sondern auch bestimmte erwünschte Merkmale wie Intelligenz, Sportlichkeit, blaue oder braune Augen. Bei so viel ansprüchlichen Wünschen der Eltern ist anders als bei der eben geschilderten schwangeren Frau und bei den balinesischen Paaren eher ein unglückliches als ein glückliches Kind zu erwarten.

All diesen Verhaltensweisen, den der schwangeren jungen Frau im Garten ebenso wie den vielfältigen kulturspezifischen Traditionen im Umgang mit der Schwangerschaft, liegt jedoch meist eher der Gedanke zugrunde: Das entstehende Kind könne von Anfang an das Erleben seiner Mutter teilen. Und: Das sich im Verborgenen entwickelnde Wesen sei in seiner Gesundheit, seiner Stärke, seiner Gestalt, das heißt seiner Schönheit ebenso wie in der Entfaltung seiner Gefühle und seines Geistes von der Mutter beeinflussbar. Was sie tut, empfindet, was sie isst und trinkt, ihr gesamtes Erleben teile sich dem ungeborenen Kind mit – in jedem Stadium seiner Entwicklung.

Solche Vorstellungen wurzelten jahrtausendelang in Religionen oder Volksweisheiten. Sie wurden von Generation zu Generation weitergegeben. Heute lassen die modernen Wissenschaften, die sich mit dem Kind beschäftigen, sie in einem ganz anderen, helleren Licht plausibel erscheinen.

Wann und wie tauchen Gefühle auf? Und wie entwickeln sie sich? Wenn ein fünfzehn Monate altes Kleinkind die erste heftige Eifersucht erlebt? Wenn ein Baby mit einem Jahr bitterlich weint, weil die Mutter es zum ersten Mal mit der Tagesmutter allein lässt? Wenn ein acht Monate altes Baby dem abends von der Arbeit heimkommenden Vater freudig aufgeregt die Arme entgegenstreckt und »Bababa« sagt? Wenn das wenige Tage oder Wochen alte Baby die Mutter anlächelt? Wenn ein hüllenlos auf einen Tisch gelegtes Neugeborenes mit den Armen und Beinen im Leeren rudernd verzweifelt schreit?

Könnten Gefühlserlebnisse nicht auch früher beginnen: Wenn der Fötus die Stimmen der Eltern hört, liebevoll oder laut streitend? Wenn er die langsamer oder schneller pulsierenden Geräusche der Blutgefäße und des Herzens seiner Mutter wahrnimmt? Oder gar wenn der Embryo, über Stoffwechselvorgänge mit der Mutter verbunden, mit ihr »fühlt«? Wir wollen uns nicht zufrieden geben mit dem, was wir empfinden oder was die schwangere Frau denkt, obwohl sie es vielleicht am besten weiß. Wir wollen die Forschung befragen, wollen das zusammentragen, was ihre jüngsten Untersuchungen und Beobachtungen über die Anfänge des menschlichen Lebens hervorgebracht haben.

Es sei ein Merkmal unserer Zeit, schreibt die Entwicklungspsychologin Karin Grossmann, »dass die meisten von uns erst dann etwas als wahr und richtig akzeptieren, wenn es wissenschaftlich bewiesen ist. Die Kehrseite dieser Wissenschaftsgläubigkeit ist allerdings, dass Fähigkeiten und Erfahrungen weniger wertgeschätzt werden, wenn sie nicht den wissenschaftlichen Stempel haben.«[1]

Was also sagt uns die Wissenschaft über den Lebensanfang? Sie stellt vor allem Fragen, unzählige, und gibt einige wenige Antworten, denn solche Forschungen sind feinste Kleinarbeiten, die unendlich viel Zeit und Geduld erfordern. Sie gibt uns jedoch viele Hypothesen, die sich auf das immer neu Beobachtete stützen.

Lange, bis in die achtziger Jahre hinein nahmen viele Laien, aber auch Kinderspezialisten an, Neugeborene empfänden noch nichts. Noch nicht einmal Schmerzen. 1986 berichtet H. G. Lenard, Professor an der Kinderklinik der Universität Düsseldorf, in der *Deutschen Medizinischen Wochenschrift* darüber, wie weit verbreitet immer noch unter Spezialisten die Ansicht sei, nicht nur der Fötus, sondern auch das Neugeborene empfänden keine Schmerzen. Ja, er nennt barbarische Beispiele, wonach schwere Operationen ohne Narkose vorgenommen wurden, zitiert aus einer Fachveröffentlichung, nach der »keine Anästhesie während der ersten 2 1/2 bis 3 Lebensmonate erforderlich« sei (»No anaesthetic is necessary ... during the first 2 1/2 to 3 months after birth«).

Erst die letzten Jahrzehnte haben erstaunliche Informationen und Erkenntnisse über ein echtes körperliches und psychisches Erleben nach der Geburt eröffnet. Erfahrene Beobachter von Babys mit ihren Eltern, allen voran John Bowlby und Donald W. Winnicott, haben jedoch schon in den vierziger, fünfziger Jahren erkannt, dass Babys nicht nur irgendwelche vagen Emotionen empfinden, sondern von Anfang an ein Innenleben entwickeln, dessen Strukturen sich im Umgang mit der Familie und Umwelt entfalten.

Heute beginnen wir zu verstehen, dass all dies schon vor der Geburt vorbereitet wird und als Anlage oder auch schon als Funktion vorhanden ist.

Dass es frühe vorgeburtliche Erlebnisse gibt, die sogar später ins Leben wirkende Einflüsse haben, davon sind eine Reihe von Wissenschaftlern verschiedener Disziplinen überzeugt: nicht nur die Spezialisten der »Pränatalen Psychologie«, sondern auch Kinderärzte, Entwicklungsneurologen und Kinderpsychiater.

Wie beginnt Erleben?

Um dies zu erhellen, gehen wir ganz an den Anfang zurück und stellen uns jenes mikrospische, sich jedoch in schwindelhafter Schnelligkeit entwickelnde Leben im geheimnisvollen Dunkel des Mutterleibs vor.

Von der allerersten Entwicklung eines Menschen wissen wir auch heute trotz aller Forschung und all der Erfahrungen mit künstlicher Befruchtung, trotz genetischer Diagnostik und Manipulationen kaum mehr, als dass und wie sich nach der Befruchtung die ersten Zellen teilen. Unsere Kenntnisse sind mehr oder weniger technisch. Darum bleibt, was wir hier über die anfängliche Entwicklung überblickartig schildern, eher aufs Biologische beschränkt.

Wir wissen, dass die ersten, »Blastomere« genannten Zellen noch das gesamte zu einer vollständigen menschlichen Entwicklung notwendige genetische Programm in sich tragen. Man nennt sie darum omnipotent, allmächtig.

Sie können sich theoretisch – und sehr selten geschieht dies natürlicherweise durch besondere Stoffwechselvorgänge – noch voneinander abgetrennt zu verschiedenen Individuen entwickeln. Die normale Entwicklung von Zwillingen kommt entweder durch die Befruchtung von zwei Eizellen oder in einem etwas späteren Stadium durch die Teilung des nach dem Ende der ersten Woche entstehenden »Embryoblasten« zustande.

Ob die ersten Zellen, die als »Morula« (von lateinisch »Maulbeere«) drei Tage lang durch den Eileiter in die Gebärmutter wandern, irgendetwas an »Informationen«, Botschaften aus ihrer Umwelt, dem Körper der Mutter, aufnehmen und speichern, ist unbekannt. Offensichtlich brauchen sie jedoch nach ihrer Einnistung in die Gebärmutterschleimhaut das Nährgewebe der Mutter.

Erste Einflüsse von »draußen«

Der Embryo wächst von nun an mit ihr zusammen und ist an ihren Stoffwechsel angeschlossen. Die zottige Hülle, »Chorion« genannt, die bald das werdende Kind samt seiner Fruchtblase umschließt, verschmilzt mit einer Schicht der Uterusschleimhaut zur Plazenta. Man könnte sagen: Der kleine Embryo saugt bereits Nahrung von seiner Mutter – nicht mit dem Mund, wie später der Säugling, sondern mit dem Gewebe des Chorions.

Damit beginnt das sich entwickelnde Kind nun allerdings an fast allem teilzuhaben, was die Mutter »bewegt«. Alle ihre seelischen Erlebnisse – Freude, positive Erwartung, das Gefühl der Geborgenheit und Sicherheit, aber auch Angst, Einsamkeit, Sorge, Stress, Erschrecken – drücken sich in ihrem Stoffwechsel aus. Hormone, die dabei jeweils nach Art der Erregung ausgeschüttet werden, wie Adrenalin, Noradrenalin, Serotonin und Cortison, transportiert das Blut mit Hilfe des Kreislaufs. Sie lösen Aktionen und Reaktionen im Gehirn aus, die wiederum das Körperverhalten beeinflussen und steuern – Herz- und Atemrhythmus, Schweißabsonderung, aber auch ruhige oder erregte Bewegungen.

Wenn der Embryo so früh schon etwas »erlebt«, dann wohl vor allem indirekt auf diesem Weg der Verbundenheit mit dem mütterlichen Stoffwechsel, durch den er Anteil – welchen auch immer – an den seelischen Erfahrungen der Mutter hat.

Nun geht die Entwicklung auf allen Gebieten so rasch voran, dass wir hier nur die wichtigsten »Ereignisse« hervorheben wollen:

Vom Beginn der dritten Lebenswoche an zeigen sich die ersten Blutgefäße. Zwei von ihnen verschmelzen in der Brust des etwa 1,7 Millimeter großen Embryos zur Anlage des Herzens, das noch vor dem 21. Tag seine Arbeit aufnimmt und zu pulsieren beginnt. Es gliedert sich zwischen dem 20. und 25. Tag in vier Kammern. Fast gleichzeitig deutet eine besondere Zellvermehrung am oberen Ende des Körpers auf den Beginn eines sich entwickelnden Gehirns hin. Es bildet sich im Laufe von vier Wochen in Bläschen aus und entwickelt sich so stark, dass in der fünften Woche das Gesicht des Embryos seine Brust berührt. Offensichtlich hat die Entfaltung dieser beiden ersten Organsysteme – Herz-Kreislauf und Gehirn – einen Vorrang vor allen anderen.

Vielleicht sollten wir in dieser frühen Herz-Hirn-Einheit mehr als nur ein Symbol für die spätere Untrennbarkeit von körperlichen und seelischen Vorgängen sehen. Die »Macht« dieser Einheit treibt alles voran. Sie ist eine Realität.

Eine besonders starke Durchblutung des Gehirns sorgt für Sauerstoffzufuhr. Das bekommt seinen Sinn dadurch, dass dieses Organ bereits so früh beginnt, die »Steuerzentrale« für die meisten Vorgänge im Körper zu werden. Das Gehirn organisiert in gewisser Weise die Strukturierung des gesamten Organismus – nicht nur des Nervensystems – und das Herz sorgt dafür, dass der Blutfluss, dieser Strukturierung folgend, immer ausreichend an der richtigen Stelle pulsiert. In der ganzen vorgeburtlichen Zeit werden darum die feinen Blutgefäße des Gehirns bevorzugt mit Blut versorgt.

So können alle weiteren Entwicklungsvorgänge innerhalb der nächsten vier Wochen einen geradezu rasanten Verlauf nehmen: Der gesamte Körper bekommt nun eine differenzierte Gestalt. Arme und Hände entwickeln sich in fast 14 Tagen. Mit einer Verzögerung von wenigen Tagen entwickeln sich die Beine. Die inneren Organe Magen, Leber, Bauchspeicheldrüse und Darm sind angelegt. Augenbecher bilden sich, und die Netzhaut wird pigmentiert, die Anlage der Ohren ist erkennbar.

Am Ende der achten Woche ist der Kopf des Embryo runder, kindlicher geworden. Augenlider und Ohren haben sich entwickelt. Im Gehirn haben sich so genannte Reflexzentren für die Atembewegungen gebildet. Das Erstaunlichste jedoch: Im embryonalen Gehirn entstehen erste Synapsen – Schaltstellen zwischen Nervenzellen, an denen Nachrichten übermittelt werden.

Alles ist noch mikroskopisch klein. Der ganze Körper des Embryos, der von nun an Fötus genannt wird[2], ist erst drei Zentimeter groß. Jedoch kann er sich schon, ohne dass die Mutter es bemerkt, kräftig mit dem ganzen Körper bewegen.

Dazu braucht das Kind Wahrnehmungen. Die Erforschung der vorgeburtlichen Entwicklung hat gezeigt, dass es bereits Wahrnehmungen von der siebenten Woche der Entwicklung an gibt. Die ersten Sinnessysteme, die sich entwickeln und auch gleichzeitig in einfacher (jedoch nicht primitiver) Art und Weise ihre Funktion aufnehmen, sind der Tast- und der Gleichgewichtssinn – das taktile und das vestibuläre System. Es sind genau die Sinne, die wir vornehmlich für Bewegung und Körperempfinden brauchen.

Wir dürfen also annehmen, dass unsere ersten Empfindungen körperlichen Wahrnehmungen entsprechen. Auch später im Leben haben Empfindungen, egal welcher Natur, immer eine körperliche Entsprechung. In seinem erstaunlichen Buch *L'erreur de Descartes (Der Irrtum Descartes' – Descartes' Error)* schreibt der amerikanische Neurologe Antonio R. Damasio, Universität Iowa, es sei notwendig jetzt herauszufinden, »wie die körperlichen, ständig angepasst modulierten Repräsentationen subjektiv werden, wie sie in das ›Ich‹, das sie beherbergt, integriert werden.«[3]

Worum es geht, wenn wir das Geheimnis der Gefühle erhellen wollen, ist nicht nur die unauflösliche Verbindung zwischen körperlichem und seelischem Empfinden, sondern wie es im Laufe der Entwicklung eines menschlichen Wesens dazu kommt, dass wir meinen, von irgendeinem Zeitpunkt an von seelischem Empfinden sprechen zu können. Eine Frage, die so wissenschaftlich wie philosophisch ist. Mir persönlich erscheint das Problem des Zeitpunkts eher ein Problem der Definition von Wahrnehmung, Empfindung oder Gefühl zu sein. In der realen Entwicklung scheint es keinen Hinweis für eine Zäsur zu geben. Dagegen gilt auch hier offensichtlich das Prinzip, das die gesamte kindliche Entwicklung bestimmt, Differenzierung (das heißt, verfeinerte Ausbildung einzelner Funktionen) und Integrierung (das gesamtheitliche gemeinsame Einbeziehen) vollziehen sich gleichzeitig in einem Prozess. Dies ist eine noch sehr junge Entdeckung der Wissenschaft. Wir werden anhand der Wahrnehmungsentwicklung beim geborenen Baby darauf zurückkommen.

Damit der Embryo bereits zu Wahrnehmungen und Bewegungen fähig ist, weisen das Nervensystem und die Anlage des Gehirns bereits besondere Strukturen auf.

Am Ende der fünften Woche lassen sich die Anlage von einem Vorderhirn, von Thalamus (später besonders beteiligt an Gefühlen), Mittelhirn und Kleinhirn (das Bewegungs- und Gleichgewichtsvorgänge wesentlich mitbestimmt) erkennen.

Bis zum Ende des Embryonalstadiums, der achten Woche, sind daraus nun schon deutlich differenziert das frühe Großhirn, Thalamus, Hypothalamus (auf Deutsch: »unter dem Thalamus«), Hypophyse, Kleinhirn und Hirnstamm entstanden. Es bildet sich ein immer reicher anwachsendes Netzwerk aus Dendriten (Nervenfasern), Synapsen und Nervenbahnen, die mit den ersten »arbeitenden« Funktionen ständig neu zustande kommen. Das Gehirn produziert eine Überfülle nicht nur von Neuronen (Nervenzellen), die von den inneren Bereichen nach außen wandern, sondern auch von Nervenbahnen. Es sind die Nachrichtenleitungen des Gehirns. Viele von ihnen verschwinden wieder, wenn sie nicht benutzt werden.

Alles »funktioniert« schon von Anfang an

Wir wissen heute entgegen der noch vor etwa zwei, drei Jahrzehnten herrschenden Ansicht, dass alles, was sich am Anfang entwickelt – Herz, Nervensystem, innere Organe, Gliedmaßen –, sobald es auch nur im rudimentärsten Stadium »da« ist, schon benutzt wird. Lange bevor es nur halbwegs reif, bis es »fertig« ist. So wartet das Herz nicht darauf zu pulsieren, bis es ein richtiger Muskel mit verschiedenen Kammern ist. Das Gleiche gilt für das Gehirn.

Nervenverbindungen müssen nicht erst gefestigt, »myelinisiert« sein (das heißt, mit einer Eiweißschicht umhüllt, stabilisiert werden), bevor sie Nachrichten weiterleiten. Warum sollte es mit Wahrnehmungen anders sein, die schon in der Embryonalzeit, also vor der achten Woche auftauchen, »da« sind und sich offensichtlich, zur Gesamtentwicklung beitragend, außerordentlich »nützlich machen«? Die ersten Anlagen von Sinnessystemen nehmen ihre Funktion auf, lange bevor sie samt der dazugehörigen Sinnesorgane wirklich ausgereift sind.

Der Embryo nimmt also bereits etwas wahr. Volkstümlich ausgedrückt könnten wir sagen: »Er bekommt schon etwas mit.« Und er ändert sein Verhalten, je nachdem, was er wahrnimmt. Eine der renommiertesten amerikanischen Spezialistinnen für frühe Gefühlsentwicklung, die Kinderspychiaterin an der Universität San Francisco Alicia Lieberman meint: »Embryos scheinen fähig, nach ihren Wahrnehmungen zu agieren. Zum Beispiel ziehen sie sich von einem störenden Reiz wie einer leichten Berührung schon im Schwangerschaftsalter von 7,5 Wochen zurück, indem sie eine globale Antwort geben, die mit dem Zurückbiegen des Kopfs beginnt und dann progressiv die Hände, den Rumpf und die Schultern erreicht.«[4]

Alicia Lieberman meint, diese Rückzugsreaktion oder -antwort sei ein Hinweis darauf, dass der Embryo und später der Fötus zu einer rudimentären Form von Angst fähig sei, denn die gleiche Form von körperlichem Vermeidungsverhalten sei ein häufiger Ausdruck dieses Gefühls nach der Geburt. Die Psychiaterin spricht hier von der Moro-Reaktion.

Bis vor wenigen Jahren verwendete man anstelle von »Reaktion« hier den Begriff »Reflex«, der im Licht der heutigen Kenntnisse nicht mehr angemessen erscheint. Es handelt sich um ein viel komplexeres Geschehen, eine »höhere« Verhaltensform als einen Reflex, der ein typisches Merkmal von Reptilien ist. Diese Moro-Reaktion bei einem Neugeborenen auszulösen, indem man es plötzlich ein Stück ins Leere fallen lässt, gehört zum ersten Gesundheitscheck. Einige Kinderärzte verzichten jedoch bewusst darauf, diese Reaktion routinemäßig einzusetzen. »Ich denke, sie ist zu gefährlich. Wir wissen nicht, welches Trauma wir damit auslösen«, erklärt der Neonatologe Bernhard Ibach, Remscheid, aufmerksam geworden durch die Ermahnungen des englischen Kinderarztes und -analytikers Donald W. Winnicott.[5] Und er bestätigt Alicia Liebermans Beobachtung: »Offensichtlich empfindet das Baby dabei Angst. Nach meinen eigenen Beobachtungen halte ich die Prüfung dieser Reaktion für potentiell psychisch traumatisierend.« Zudem sei sie im Katalog der neurologischen Routineuntersuchungen ersetzbar. Es gebe andere weniger belastende Untersuchungen, an denen sich zeigen ließe, ob ein Kind in Ordnung sei.

Welchen Sinn mag eine solche Fähigkeit zu Angstreaktionen bei einem Embryo oder Fötus haben?

Gefühle haben immer einen Sinn, auch am Lebensanfang. Sie setzen uns zum Beispiel in die Lage zu flüchten, uns fern zu halten oder uns zu nähern. Sie motivieren, etwas zu tun oder zu üben. Die Angst-Rückzugs-Reaktion des Embryos zeigt, dass es dem Leben offenbar wichtiger als alles andere ist, sich vor Gefahren zu schützen. Darum sind Embryos schon wie mit einem sechsten Sinn mit einer »Antenne« für Gefahr ausgerüstet. Am Ultraschallbildschirm habe ich beobachtet, wie sich acht Wochen alte Embryos sofort flüchten, wenn der Arzt ihnen mit einem in den Mutterleib eingeführten Untersuchungsinstrument auch nur nahe kommt. Ein beeindruckendes Verhalten.

Ein Annäherungs- oder Suchverhalten wie bei einem Baby ließ sich dagegen so früh noch nicht beobachten. Der so genannte Rooting-Reflex, das Hinwenden des Babys mit seinem Köpfchen zu einem Reiz, der auf seine Wange ausgeübt wird, zeigt sich erst viel später, wenn der Fötus mit dem Mund den Daumen sucht. Vielleicht hat er dann zufällig bei einer Bewegung seine Wange oder seinen Mundwinkel berührt. Such- und auch neugieriges Erkundungsverhalten, charakteristisch für ein Baby und Kleinkind, werden offenbar in den ersten Wochen der Entwicklung noch nicht benötigt. Das Kind hat ja alles, was es braucht. Nahrung, Wärme, Weichheit und Liebe umhüllen es mit dem Mutterleib. Möglicherweise jedoch haben wir den Embryo noch nicht genau genug beobachtet. Wir sehen ihn schließlich nicht einen ganzen Tag lang vor uns, sondern nur gelegentlich bei Ultraschalluntersuchungen.

Wir dürfen uns auch fragen, was ein Embryo wohl empfindet, der von seinem Bewegungsdrang und seinem sich entwickelnden Gleichgewichtssystem mit Streckungen und Krümmungen des ganzen Köpers in der Fruchtblase schwimmend »herumpurzelt«. So etwas wie Lust? Was mag ihn motivieren, anregen, diese Kapriolen zu machen? Vielleicht eine Bewegung der Mutter, vielleicht ein ihm eingepflanzter Drang, eine mögliche Fähigkeit zu nutzen?

Auf keinen Fall sollten wir die Entwicklung auch schon in diesem frühen Stadium nur in einer bloßen Ausweitung der Reaktionen auf Reize sehen: Der Fötus und sogar der Embryo können mehr als nur reagieren. Sie können mehr als ein genetisches Programm abspulen. Das gilt sogar für die Entwicklung bei höheren Wirbeltieren, Vögeln zum Beispiel. Der amerikanische Wissenschaftler E. W. Sinnott fragt darum, wo hört genetisches Programm, das heißt in diesem Fall für ihn embryonale

Entwicklung, auf und wo beginnt »Verhalten«? »Wenn ein Küken mit dem Picken seines Schnabels die Eischale zerbricht, nennen wir dies Verhalten einen instinktiven Akt; aber wie unterscheidet sich dies im Kern von früheren Bewegungen des sich entwickelnden Embryos, die dorthin geführt haben?« Zum menschlichen Embryo erklärte der italienische Experte für Bewegungsentwicklung Adriano Milani-Comparetti auf einem europäischen Seminar für Entwicklungsneurologie, das Kind bringe eine eigene *kreative, individuelle* Leistung ein. Und diese wird sowohl von seiner Umwelt Mutterleib als auch von ihm selber immer wieder modifiziert und damit verbessert.

Fallen, die uns die Sprache stellt

Halten wir hier einmal kurz inne: Wir finden uns tausend Rätseln gegenüber, denen wir uns noch nicht einmal sprachlich zu nähern vermögen. Wie sollen wir das nennen, was da geschieht, was da erlebt wird?

Wir sprechen von »Wahrnehmen« (das heißt mit Sinnen aufnehmen und verarbeiten), von »Empfinden«, von »Motivation«, von »Emotion«, von »Affekten« und von »Gefühl«. Wo sind die Grenzen zwischen diesen Begriffen, was genau meinen sie? Die Art und Weise, wie wir täglich mit ihnen umgehen, zeigt, dass die Grenzen fließend sind, dass die Bedeutungen ineinander übergehen, ja, dass sie manchmal sogar synonym verwendet werden. Darum versuchen wir uns bei der Wissenschaft kundig zu machen und stellen nun erstaunt fest, dass auch hier große Unsicherheit und Uneinheitlichkeit in der Verwendung der Begriffe herrscht. Generell sprechen Wissenschaftler nicht gern von »Gefühlen«, selbst der Begriff »Emotion« findet möglichst sparsame Verwendung. Viele Wissenschaftler möchten noch nicht einmal den höheren Säugetieren Emotionen zubilligen. Eine Überzeugung, die jedoch ihr eigenes Verhalten häufig Lügen straft: Viele von ihnen gehen mit ihren Haustieren durchaus so um, als hätten diese Gefühle und als verstünden sie sogar gewisse Gefühle ihrer Herrchen und Frauchen.

Eine Folge der cartesianischen Dualität von Körper und Geist bleibt heute immer noch, dass man sich nicht zu emotional zeigt, wenn man als seriös gelten will. Schließlich stehen Emotionen im Verdacht, eher körperlicher, also niederer Natur zu sein.

Was ist dann mit den Gefühlen? Ihnen billigt man schon eher eine gewisse Geistigkeit zu. Sie haben offensichtlich mehr mit Kultur, Tradition und der individuellen Geschichte eines Menschen zu tun.

Ich denke, wir kommen nicht umhin, die Wahrheit, die sich in der sprachlichen Unsicherheit ausdrückt, einfach anzunehmen und uns nicht von der Verschämtheit verkappter Cartesianer anstecken zu lassen.

Wenn es um Empfindungen, Emotionen und Gefühle geht, befinden wir uns nicht im Bereich des Messbaren. Allenfalls lassen sich Schwankungen des elektrischen Hautwiderstands, Pupillengröße, Adrenalin- und Cortisolspiegel (auch Cortisonspiegel genannt) im Blut oder der Herzrhythmus bei Emotionen messen. Was aber sagen die uns über die wahre Natur dieser, nun ja, dieser Erlebnisse?

Unser Sprachgebrauch gibt uns oft besser Auskunft über ein Phänomen als alle Versuche einer Definition. Nur so sind wir in der Lage, miteinander *sinnvoll* zu reden, wirklich zu kommunizieren. Und: Wenn wir etwas ähnlich empfinden, verstehen wir uns untereinander.

Eine werdende Mutter könnte wenig mit wissenschaftlichen Definitionen der Zustände ihres »Embryos« oder »Fötus« anfangen. Sie spricht ganz schlicht von ihrem »Kind«, und sie interessiert sich für alles, was »es mitbekommt«, was es schon »fühlt«. Und allein indem sie sagt, »mein Kind« und nicht »mein Embryo«, drückt sie eine bereits lebendige menschliche Beziehung aus. Wer will an ihrer Realität zweifeln?

Bleiben wir also bei einer »menschlichen« Sprache, vor allem, wenn es um Emotionen und Gefühle geht. Machen wir uns zunutze, was Martin Luther »dem Volk aufs Maul sehen« nannte. Liegt nicht gerade in der Vielfalt unserer alltäglichen Ausdrucksweise, in ihrem lebendigen Gleiten von einem Begriff zum anderen die größere Genauigkeit gegenüber starren Definitionen?

In unserem Erleben gibt es keine »harten« Grenzen, unsere Gefühle gehen ineinander über, nur selten empfinden wir eins ganz heftig und vorherrschend. Ständig sind sie in Bewegung. Wir haben schon Schwierigkeiten (gut begründete Schwierigkeiten!), körperliches und seelisches »Fühlen« auseinander zu halten. Ebenso lassen sich keine Abgrenzungen vornehmen für Emotionales, das mehr aus unseren »älteren« Hirnregionen kommt, das mehr unserem evolutionären Erbe angehört und dem, was aus den »neueren«, höher entwickelten Hirnregionen zu entspringen scheint. In unserem Gehirn läuft unablässig eine rege Kommunikation zwischen allen Teilen ab, den alten und neuen. Nie beschränkt sich etwas auf ein einziges Feld. Hingegen kann der Ausfall eines Bereichs oder »Zentrums« Folgen für den normalen Gesamtablauf haben.

Die Tatsache, dass wir nicht wissen, wie wir das *nennen* oder beschreiben sollen, was am Anfang an »Erleben« ist, muss uns nicht hindern, nach dem Beginn der Gefühle zu forschen. Wir wollen verstehen, wie erste Wahrnehmungen zu Empfindungen und Gefühlen werden.

Wenn Wahrnehmungen in Emotionen umgesetzt werden

Wenn es schon Detektoren gibt, die einen für das Kind vielleicht gefährlichen Reiz erspüren, und der kleine Embryo daraufhin die eben beschriebene Vermeidungs- bzw. Fluchtbewegung macht, warum soll dann nicht das später in einer solchen Situation auftretende Gefühl – nämlich Angst – dies Gesamtgeschehen begleiten? Gewiss, Gefühl in einem Anfangsstadium, ebenso wie Wahrnehmungen und Bewegung. Ein Gefühl, Gefühle überhaupt könnten schließlich ebenso wie alles übrige, was da bereits ohne reif zu sein »arbeitet«, ja sogar koordiniert arbeitet, in einem Frühstadium ihre Funktion aufnehmen. Betrachten wir das vielfältige Ineinandergreifen aller Entwicklungsprozesse, dann erscheint es jedenfalls viel wahrscheinlicher, dass auch sie sich bereits früh entfalten, als die Annahme, es gäbe sie weder beim Embryo noch beim Fötus.

Wir sollten nur nicht denken, diese frühen Gefühle wären die gleichen wie die von größeren Kindern oder Erwachsenen. Jedoch: Auch ein Baby hat noch nicht die gleichen Gefühle wie ein Kleinkind und ein Kleinkind nicht die eines Erwachsenen. Irgendwann treten Emotionen in einer Art Urzustand auf. Sie formen und strukturieren sich mit der Umwelt, in der das Kind lebt – auch der des Mutterleibs. Dass alle Gefühle eine Entwicklung durchmachen, wie der Körper und der Geist, das wollen wir im weiteren Verlauf immer wieder zeigen.

Es erscheint uns nun schon sehr plausibel, wenn die amerikanische Kinderspezialistin Alicia Lieberman schreibt: »Es ist anzunehmen, dass Emotionen schon vor der Geburt vom Fötus empfunden werden.« Dazu einige Beispiele aus ganz unterschiedlichen Beobachtungen: Videoaufzeichnungen von Ultraschalluntersuchungen zeigen, dass die Mimik ungeborener Kinder Gefühle widerspiegelt, die uns durchaus vertraut sind und die wir unschwer als Abscheu, Angst, Traurigkeit oder Glück identifizieren können.

Untersuchungen der Hörfähigkeit des Fötus mittels Ultraschall und Aufzeichnung von Herzrhythmus haben erwiesen, dass der Fötus anders auf die Stimme der Mutter reagiert als auf andere Stimmen. Er lauscht ihr aufmerksamer und kann sich auch später daran erinnern. Er reagiert unterschiedlich auf Musik, Menschenstimmen und irgendwelche Geräusche. Bestimmte »Hörreize« (die Mutterstimme zum Beispiel) scheinen ihn mehr zu fesseln als andere. Er lauscht dann länger. Später nennen wir dieses Verhalten gelegentlich »genau hinhören«. Auch Musik wirkt je nach ihrer Qualität – klassisch mit ruhigen Rhythmen oder poppig mit schnellen Rhythmen – unterschiedlich auf sein Verhalten. Viele Schwangere haben die Erfahrung gemacht, dass das Baby in ihrem Leib bei Mozart oder Beethoven ruhiger wird, dass es leichter in den Schlaf gleitet. Dagegen fühlen diese Mütter, dass ihr Kind bei Beat oder Techno aufgeregt und unruhig strampelt.

Rhythmen, Stimmen, Musik überhaupt, transportieren Gefühle. Offensichtlich ist bereits das ungeborene Kind dafür hochempfänglich.

Je mehr sich das ungeborene Kind dem Geburtszeitraum nähert, desto sinnvoller finden wir Fragen nach Gefühlen. Wir können es nun ja auch schon bei Ultraschalluntersuchungen beobachten und selber sehen, dass es uns bereits »ähnelt«. Es strampelt wie ein geborenes Kind und es steckt sogar manchmal den Daumen in den Mund oder hat Schluckauf.

Das Mienenspiel nicht nur des Ungeborenen, sondern sogar das des neugeborenen Kindes und vor allem sein von den Eltern so bewegt wahrgenommenes erstes Lächeln sind in der gesamten Entwicklungsliteratur bisher als »reflexhaft« abgetan worden. So wie die Flucht- oder Vermeidungsbewegung des Embryos als bloße Reflexe – »Reizantworten« – gelten, wie wir es beim »Moro« gezeigt haben.

Reflex ist die Bezeichnung, die insbesondere auf jede möglicherweise von einer Emotion hervorgerufene oder begleitete Bewegung dieser Frühentwicklungszeit angewendet wird. Während man bei den übrigen Körperbewegungen in den letzten Wochen des Fötus heute immerhin von »Reaktionen« spricht, beharrt man bei der Mimik noch immer auf dem »Reflex«. Obwohl Eltern und Kinderärzte es besser wissen, wagen auch sie nicht, diesen Sprachgebrauch anzuzweifeln. Erst wenn das geborene Kind bereits viele Wochen alt ist, gesteht man ihm diskret ein »soziales« Lächeln zu. Wir werden gleich am Beispiel der Frühgeborenen sehen, wie *sozial* sich Babys sogar schon in ganz frühen, der Fötalzeit entsprechenden Entwicklungsstadien *verhalten* können.

Wie gesagt, die Wissenschaft tut sich schwer mit Gefühlen. Viele Forscher scheinen zu fürchten, nicht ernst genommen zu werden, wenn sie sich diesem unsicheren Terrain auch nur nähern. Die neuere Hirnforschung dagegen zeigt, dass Emotionen und Gefühle ein integrativer Bestandteil unseres Denkens und auch des intelligenten Handelns sind. Dass nicht nur die Hirnregionen (das so genannte limbische System und der Neocortex), in denen sie hervorgerufen und verarbeitet werden, ununterbrochen zusammenarbeiten, sondern sich auch während der Frühentwicklung in typisch menschlicher Weise strukturieren.

Was mag der Fötus später empfinden, wenn die Mutter mit ihm spricht, wie die anfangs erwähnte junge Frau mit ihrem ungeborenen Kind? Was erlebt es, wenn die Eltern sich streiten oder wenn die Mutter sich erschrickt? Was empfindet es bei Musik oder lauten Geräuschen?

Auf laute Geräusche reagiert das ungeborene Kind der letzten Wochen mit Schreckbewegungen und beschleunigtem Herzrhythmus. Ein lauter heftiger Streit der Eltern lässt es unruhig werden. Aber viel früher schon beeinflussen solche Erlebnisse das Kind: Bereits während der Reifung des Embryos können solche traumatischen Einflüsse, die meist mit heftigen Gefühlserlebnissen der Mutter einhergehen, sogar seine körperliche Entwicklung beeinträchtigen.

Das bedeutet jedoch nicht, dass die ganz normalen Gefühlsschwankungen im Leben einer Schwangeren dem Kind schaden. Wahrscheinlich sind sie genau wie ihre Körperbewegungen sogar notwendig für eine gesunde Entwicklung. Der Fötus braucht ja keine Geburtsmaschine (in der er zugrunde gehen würde) zu seiner Entwicklung, sondern eine lebendige, normal lebende und fühlende Mutter.

Wir müssen zwischen schockartigen und ungesunden, »unnatürlichen« Umwelteinwirkungen, die sowohl direkt als auch indirekt über das Erleben der Mutter zum ungeborenen Kind gelangen, und den emotional vielfältig gefärbten, ganz selbstverständlichen Erlebnissen einer schwangeren Frau unterscheiden. Ungesund und unnatürlich und darum schädlich für den Fötus ist es zum Beispiel, wenn seine Mutter täglich stundenlang im

Stress eines ohrenbetäubenden Maschinenlärms arbeiten muss. Oder wenn sie in Panik versetzt wird.

Italienische Ärzte untersuchten 1980 während eines Erdbebens in Süditalien 28 von Panik ergriffene schwangere Frauen mit Ultraschall. Die Kinder waren zwischen der 18. und der 36. Entwicklungswoche. Obwohl die Mütter keinerlei organische Verletzungen erlitten hatten, zeigten alle Föten eine starke Hyperkinesie – das heißt übererregte Bewegungen. Sie hielten zwischen zwei und acht Stunden an. Bei 20 der beobachteten Föten folgte eine Periode verminderter Beweglichkeit zwischen 24 und 72 Stunden Dauer. Bei älteren Kindern würden wir eine ähnliche Reaktion unschwer als emotionales Schockerlebnis einordnen.

Die letzten Wochen der vorgeburtlichen Entwicklung

In der zweiten Hälfte der vorgeburtlichen Entwicklung ist das Kind schon bereit, seiner Mutter buchstäblich entgegenzukommen. Beim »haptonomischen« (den Tastsinn betreffenden) Spielen bewegt es sich auf die Hand zu, die die Mutter oder der Vater auf den Mutterleib legen. Da gibt es, nun nachweisbar, schon so etwas wie das Gefühl der Lust an einem oder der Neugier auf einen Reiz. Der Fötus wird in den letzten Wochen aufmerksam bei bestimmten Hörreizen, nicht nur der Mutterstimme, sondern auch bei abwechselnden Silbenfolgen.

Das, was dagegen ein Baby vom Zeitpunkt seiner Geburt an auszeichnet, diese vielfältigen Ausdrucksmittel, mit Schreien, Strampeln, Mimik, zärtlichen Blicken und lustvollen Lauten die

Nähe der Mutter, Schutz, Nahrung und Fürsorge zu heischen, ja zu fordern, all das und die begleitenden Gefühle einer diffusen Angst vor dem Verlust der Mutter – all das braucht der Fötus noch nicht. In seiner geborgenen, sicheren Welt muss er noch nicht die Nähe der Mutter suchen.

Jedoch scheint das Ungeborene gegen Ende der Zeit im Mutterleib bereits ausgerüstet mit allen *Kompetenzen zu Gefühlen*. Denn später, wenn es zur Welt kommt, verfügt es sofort über all das, was »die Natur« ihm mitgegeben hat, um Gefühle auszudrücken und um eine Beziehung zu Menschen aufzunehmen: Das Neugeborene wendet seinen Kopf zum Geruch seiner Mutter hin, es erkennt ihre Stimme wieder, ja es »mag« schon wenige Stunden nach der Geburt das Gesicht der Mutter lieber als ein anderes. Mit diesen Verhaltensweisen bringt es schon vielfältige Kompetenzen zu sozialen Interaktionen und Beziehungen mit. Es scheint motiviert, seine körperlichen und seelischen Bedürfnisse den Rhythmen der Umwelt anzupassen. Und es motiviert seine Mutter, ihm dabei zu helfen. Motiviert sein heißt Gefühle haben und hervorrufen wollen.

Auch diese »Kompetenz« hat das Baby schon lange vor der Geburt erworben.

Wann eigentlich? Wir haben uns vorsichtig ausgedrückt, denn wir können das Baby im Mutterleib ja nur begrenzt beobachten. Unser Kontakt mit ihm ist noch nicht direkt.

Offensichtlich ist jedoch, dass der Fötus in den letzten Wochen der Entwicklung schon über komplexe Fähigkeiten und Verhaltensweisen zumindest potentiell verfügt. Viele Tests und andere Beobachtungen an Neugeborenen haben erwiesen, was alles vor der Geburt schon »bereit« ist, benutzt zu werden. Zum Beispiel können Babys wenige Stunden nach der Geburt zeigen,

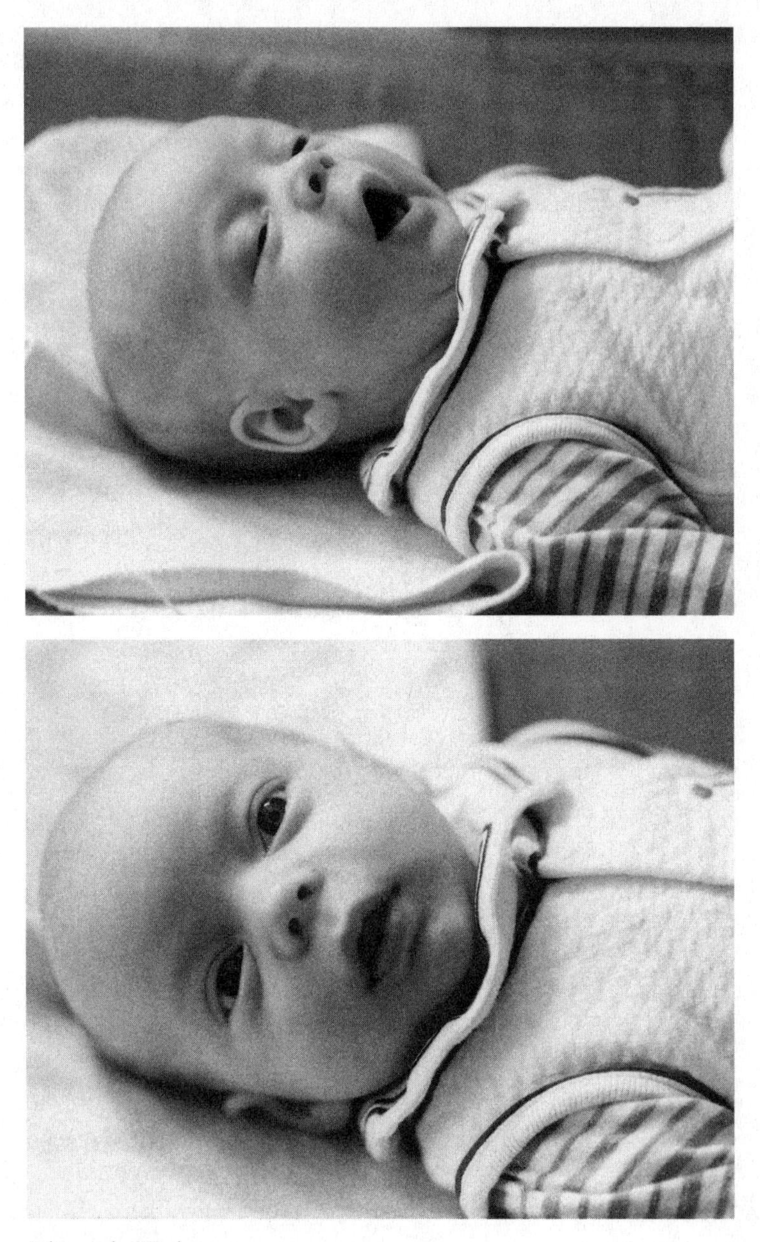

Julian, acht Wochen

dass sie sich an vorgeburtliche Erlebnisse erinnern, dass sie angenehme oder weniger angenehme Gefühle damit verbinden, ja dass sie sogar schon einiges ganz Erstaunliche gelernt haben: die Mutterstimme zu erkennen; die Muttersprache von anderen Sprachen zu unterscheiden; eine kleine Geschichte, die ihnen während der Schwangerschaft von der Mutter wiederholt vorgelesen wurde, ihrem Klang nach ebenso wie eine bestimmte Musik wieder zu erkennen; zu unterscheiden, ob ein Text von Anfang zum Ende gelesen wird, so dass er Sinn macht, oder ob er von seinem Ende her vorgetragen wird, so dass eine sinnlose Wortfolge entsteht.

Wie man den Fötus fragen kann

Manch einer mag sich wundern, wie man solche Informationen aus den Winzlingen »herauskriegt«. Schließlich können wir sie ja noch nicht wie größere Kinder einfach fragen. Oder etwa doch?

Dazu mussten sich Wissenschaftler allerlei Tricks ausdenken. Dann allerdings mag man den Eindruck bekommen, als hätten die Babys, sogar die ungeborenen, unsere Fragen ganz richtig verstanden und gäben uns tatsächlich Antworten.

Um den Fötus im Mutterleib zu befragen, ist ein beträchtlicher Aufwand nötig. Allein um die heute am besten erforschte Wahrnehmung, das Hören, und damit verbunden emotionale Reaktionen, Unterscheidungsfähigkeit und sogar ein gewisses Lernen zu beobachten, braucht der Wissenschaftler ein Ultraschallgerät, an dem er jede »Antwort« des Babys beobachten kann, einen Pulsfrequenzmesser, ein Beschallungsgerät, das die schwangere Frau auf den Bauch bekommt, einen Kassettenrekorder, Kopfhörer für die Mutter, damit sie nicht mithören kann und über ihre Herz- und Atemreaktionen das Verhalten des Fötus nicht beeinflusst, einen Liegestuhl und vor allem – viel Zeit und Geduld.

Solche Untersuchungen machen Wissenschaftler in Frankreich und USA seit dem Beginn der achtziger Jahre. Sie hatten gute Gründe dafür. Denn bis vor wenigen Jahren war die Frage noch heftig umstritten, ob der Fötus überhaupt hören kann. Das Hör- und Gleichgewichtsorgan mit dem dazugehörigen System im Gehirn ist einer der ersten Sinne, die sich entwickeln und funktionsfähig werden.

Über das Hören begegnet der Fötus zum ersten Mal der Welt draußen und, von innen und außen gleichzeitig aufgenommen, der Stimme seiner Mutter. Hören vermittelt starke emotionale Erlebnisse. Musik ist die Sprache der Welt, sie wird von allen verstanden, sogar und ganz besonders von Babys. Am Anfang verstehen schon die Allerkleinsten, was die Mutter ihnen in ihrer typischen »Ammensprache« mitteilen will: Diese merkwürdig ausdrucksvolle, ja übertrieben modulierte Sprechweise benutzt sie, benutzen wir alle, ganz intuitiv nur, wenn wir uns Babys zuwenden. Ihre Gefühlsbotschaften sind Melodien. Musik wirkt auf das Fühlen des Babys: auf sein körperliches und seelisches Befinden, sie gibt ihm Ruhe oder Aufregung, Geborgenheit oder Angst.

Eine junge Frau in der siebten Woche vor dem Geburtstermin ist bereit, ihr Baby von den Wissenschaftlern in einem Pariser Forschungsinstitut »befragen« zu lassen. Sie macht es sich mit Kopfhörern im Liegestuhl bequem, zieht den Pullover über den rund gewölbten Leib, über dem jetzt das Beschallungsgerät angebracht wird. Gleichzeitig wird das Baby mit Ultraschall beobachtet. Zunächst beginnt das Warten vor dem Bildschirm, bis der kleine Knirps in das für diese Untersuchung brauchbare Stadium gleitet: den Tiefschlaf. Seine Herzrhytmusreaktion lässt sich nur dann unverfälscht beobachten, wenn seine Bewegungen zur Ruhe gekommen sind. Andere Untersuchungen machen sich dagegen den »Aktivschlaf« zunutze. Denn es geht ja nicht immer darum, die Herzfrequenz als Reaktion zu beobachten, sondern ganz besonders auch die Bewegungen, die der Fötus als Antworten auf Hörreize macht, auf Musik, Stimmen, Silben, Texte, Lieder.

Nach einer halben Stunde Wartezeit ist der 34 Zentimeter kleine Winzling ruhig eingeschlafen. Sein Herz schlägt ruhig. Wenn die Forscher ihm nun Musik zuspielen, können sie beobachten, ob und wann der Fötus mit Veränderungen seines Herzrhythmus und – später im Aktivschlaf – mit Bewegungen reagiert. Sie können sehen, ob diese eher erschreckt wirken oder eher »interessiert«-Anteil nehmend. Wenn das Kind »aufmerksam« reagiert, verlangsamt sich sein Herzrhythmus, eine Reaktion, die sich auch bei Neugeborenen beobachten lässt. Man könnte meinen, er müsse sich eher beschleunigen. Es ist, als halte das Baby inne, um im Zustand höchster Aufmerksamkeit zu lauschen.

Im weiteren Verlauf der Untersuchung zeigt sich ganz eindeutig, dass es sogar schon einige Wochen vor der Geburt Stimmen unterscheiden kann. Die der Mutter kennt es, nimmt es am besten wahr. Sie gelangt ja täglich im ganz normalen Alltag auf zwei Wegen zu ihm: von außen kommend, aber auch über das Körperinnere. Dass das Baby sie vor und nach der Geburt zudem allen anderen vorzieht, erwiesen andere Untersuchungen.

Dabei machte sich der amerikanische Forscher Anthony J. DeCasper den Umstand zunutze, dass sich Neugeborene an einiges im Mutterleib Erlebte zurückerinnern können. Mit einem ausgeklügelten Saugertest »befragte« er die einige Stunden oder Tage alten Knirpse. Die Befragung sah in der Regel so aus: Vor ihm liegt, halb aufrecht in einer Wippe, ein 50 Stunden »altes« kleines Mädchen. Er spielt ihr von einem Tonband drei kurze Geschichten vor, vorgelesen von drei verschiedenen Personen – eine davon ist die Mutter des kleinen Mädchens. Dabei ist das Gerät mit einem Schalter im Schnuller verbunden, den Klein-Juliett mit ihrem Saugrhythmus »betätigen« kann, an- oder ausschalten, je nachdem, ob sie eine Story besonders mag oder nicht. Brav und ohne besondere Aufforderung tut sie, was man von ihr erwartet. Konzentriert wie ein kleiner Forscher und ungeachtet ihrer harmlos-naiven Miene, findet sie überraschend schnell heraus, wie das Ding funktioniert und was man damit machen kann. Das Ergebnis ist einleuchtend, wenn auch so überraschend, dass der Forscher den Versuch gleich mehrmals wiederholt. Er kann einfach seinen Augen und Ohren nicht trauen. Aber das Ergebnis bleibt stets gleich: Die kleine Testperson bevorzugt immer wieder die von ihrer Mutter vorgelesene Geschichte. Das mutet wie Sciencefiction an und ist doch Wirklichkeit. Dem Baby, kaum mehr als zwei Tage alt, ist sowohl die Stimme der Mutter als auch die von ihr vorgelesene Geschichte vertraut – aus der Zeit im Mutterleib. Die Forscher hatten die Mutter gebeten, in den letzten Wochen der Schwangerschaft diese Geschichte immer wieder laut zu lesen. Der gleiche Versuch klappte auch mit anderen Neugeborenen.

Was Juliett gezeigt hat, ist noch nicht alles. Die wenige Stunden unter uns weilenden kleinen Erdenbürger können sogar außer der Mutterstimme auch die *Muttersprache* heraushören und unterscheiden. Eine andere französische Forscherin fand das wiederum mit »Schalter-Sauger« heraus. Die Babys bevorzugten ihre zukünftig eigene Sprache mit eifrigem Nuckeln, obwohl sie in der Verständigung mit der Mutter eigentlich nur die »internationale« Ammensprache verstehen. Auf sie kommen wir später zurück.

Das bedeutet doch, dass die Kinder schon während ihres unsichtbaren Daseins im Mutterleib die Sprache um sie herum gehört haben. Sobald ihr Ohr aufnahmefähig ist, baden sie in diesen Klängen. So findet Kultur schon ihren Einlass im Dunkel des Uterus.

Ob ein Baby einen ihm zugespielten Reiz oder eine komplexe Höreinheit von anderen unterscheiden kann, erfahren die Wissenschaftler noch zusätzlich aus der *Dauer der Aufmerksamkeit*, welche die Babys dafür aufbringen. Diese Aufmerksamkeitsdauer machen sie sich in ähnlicher Weise auch bei Tests mit Formen, Farben und Bildern zunutze.

Bei einer Aufgabe mit Silbenfolgen, die einem Fötus zunächst in gleich bleibender Weise dargeboten wurden, zum Beipiel »bi-ba, bi-ba«, griff man auf die gleiche Verhaltensbesonderheit der Babys zurück. Zuerst schienen sie aufmerksam eine Weile zu lauschen. Bald jedoch interessierten sie sich nicht mehr dafür und zeigten keine Aufmerksamkeit mehr (mit verlangsamtem Herzrhythmus zum Beispiel). Danach spielten ihnen die Wissenschaftler eine veränderte Silbenfolge vor: »ba-bi, ba-bi«. Erstaunlich: Die Ungeborenen hielten sofort wieder interessiert inne.

Interesse, Bevorzugung eines Reizes – auch das wird als Emotion erlebt, setzt Emotion voraus. Natürlich übermitteln Silbenfolgen wie ba-bi und bi-ba keine Gefühle. Aber allein die Herausforderung, die Neuheit der unterschiedlichen Darbietung löst indirekt so etwas wie Vergnügen aus. Wir werden das später bei Babys wieder finden. Dagegen zeigen Vorlieben für bestimmte Stimmen oder Melodien ein unmittelbares Gefühl: »mögen«, »gern haben«. Und es zeigt sich, dass die menschliche Natur so beschaffen ist, dass wir schon am Anfang unserer Entwicklung Vertrautes mögen, dass aber ein Stimulus ohne ausgeprägten emotionalen Inhalt wie irgendwelche Silben schnell langweilig wird, und die Sache offenbar nur durch Abwechslung oder Neuheit kurz reizvoll ist.

Wir sollten aus solchen Beobachtungen keine falschen Schlüsse ziehen. Weitere Untersuchungen haben gezeigt, dass Wahrnehmungen im Gehirn des ungeborenen und des eben geborenen Kindes noch vielfach vernetzt sind, anders als später beim älteren Kind. Das heißt, ein Hörreiz wird nicht nur auditiv wahrgenommen, sondern er kann auch taktil erlebt werden, vielleicht wie ein Druck auf die Haut. *Wahrnehmungen werden in dieser Frühzeit zwar von den gleichen Sinnesorganen aufgenommen wie später, aber anders und gleichzeitig in anderen Sinnes-»Systemen« (also den zugehörigen Bereichen im Gehirn) »verarbeitet«.* Noch einmal: Was das Ungeborene hört, kann als Druck empfunden und in Bewegung übersetzt – »kodiert« – werden. Das Phänomen lässt sich am ehesten mit Synästhesie vergleichen. Diese erleben auch manche Erwachsene, wenn bei ihnen zum Beispiel bestimmte Töne einen Farbreiz auslösen, oder Jugendliche, wenn sie in der Disko das Dröhnen der Bässe als Vibration im Bauch spüren. Dichter haben Wahrnehmungen häufig in Synästhesien ausgedrückt: Der Reiz dieser Verfremdung durch die Übersetzung in eine andere Sinnessprache löst Überraschung und besondere Gefühle bei uns aus.

Wahrnehmungen entsprechen auch beim Fötus Empfindungen. Wir sollten möglichst wenig in diese Vorgänge eingreifen, weil wir und auch die Wissenschaft noch zu wenig wissen. Die Forscher warnen Eltern vor ehrgeizigen »Förderversuchen« ihrer ungeborenen Kinder mit Hör-Lerneinheiten. Manche berichten von Schwangeren, die ihr Baby über einen auf den Bauch geschnallten Walkman bereits an einem Englischsprachkurs teilnehmen lassen. Es habe seinen Sinn, dass das Kind im geschützen Raum des Mutterleibs heranreift, warnen die Wissenschaftler. Sie geben zudem zu bedenken, dass der Fötus uns seine Gefühle bei Reizüberflutung zum Beispiel noch nicht mitteilen kann. Er kann nicht sagen: »Stopp, mir reicht's, lasst mich in Ruhe!« Neben einer Störung seiner Entwicklung bestehe auch die Gefahr, dass er gegen die dargebotenen Reize einfach abstumpfe. Das Gegenteil von dem, was die übereifrigen Eltern erreichen wollen.

»Hätten sie das Baby sichtbar vor sich«, resümiert ein Forscher, »könnten sie an seiner Mimik, seinen Gesten und schließlich seinem Schreien erkennen, wenn es sich dabei unwohl fühlt.« Sie würden intuitiv auf seine Signale eingehen, sie würden mit ihm fühlen und seine Abwehr respektieren.

Was wir von Frühgeborenen erfahren können

Wir haben gedacht, all dies entfalte sich allenfalls so etwa sechs bis acht Wochen vor der Geburtsreife. Diese ist 266 Tage, 38 Wochen nach der Zeugung (oder 280 Tage bzw. 40 Wochen nach der letzten Menstruation), erreicht.

Was ist aber, wenn diese Reife nicht erreicht wird? Wenn das Baby zu früh, vielleicht sogar viel zu früh, sagen wir in der 26. Woche oder gar noch vorher geboren wird?

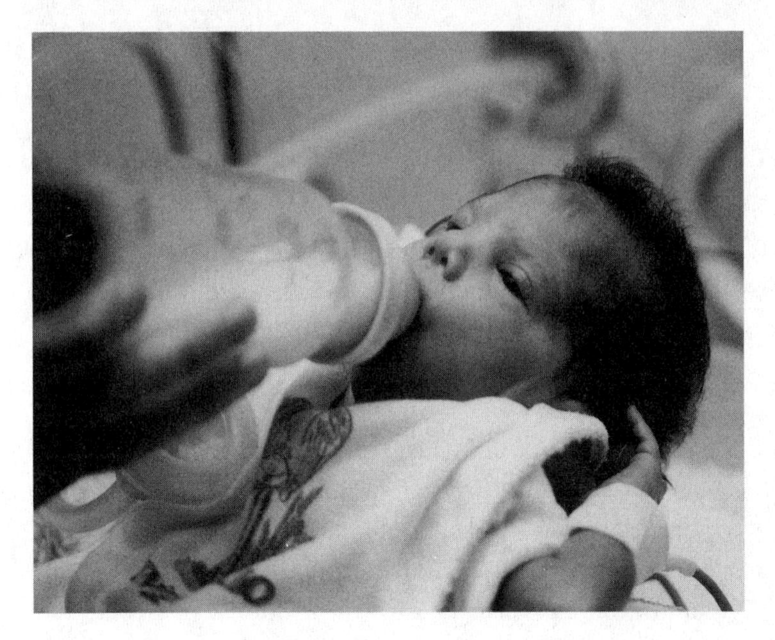

Eda, vier Wochen vor dem errechneten Geburtstermin

»Frühchen« kommen vorzeitig auf die Welt, weil ihr Zustand oder der der Mutter dazu führt. Sie sind ihrer Entwicklung nach noch *mitten* im Fötalstadium.

Was sollen wir davon halten, wenn so ein winziger, 1000 oder 900 Gramm leichter Menschenzwerg vor uns liegt, auf ein Lammfell in einem Brutkasten gebettet und uns mit seiner Mimik, mit seinem Schreien, mit den verzweifelten Schreck- und Abwehrbewegungen seiner fingerdünnen Ärmchen, mit dem Ballen der streichholzfeinen Finger stärkste Emotionen übermittelt? Und nicht nur das. Welches Phänomen haben wir vor uns, wenn er sich plötzlich entspannt, einen wohligen Gesichtsausdruck zeigt, seine Züge sich glätten, ja ein Lächeln über sein Gesicht huscht, während seine Mutter leise zu ihm spricht, ihm über das Köpfchen streichelt, zart seine Händchen zwischen ihre Finger nimmt? Und wie sollen wir es verstehen, wenn plötzlich so etwas wie Missmut, Ärger zu sehen und zu hören ist, weil die Spieluhr an seinem Bettchen plötzlich verstummt ist oder die Musik aus der Kassette? Und haben wir richtig beobachtet? Der kleine Knirps meldet sich mit Weinen, wenn die Schwestern sich dem Brutkastennachbarn nebenan mit liebevollem Zureden und Hantierungen zuwenden. Sollte hier so etwas wie Eifersucht im Spiel sein? So etwas wie ein sehnlicher Wunsch: »Bitte sei auch lieb zu mir«?

Schauen wir einmal auf einer Frühgeborenenstation herein zu den Babys, Müttern, Schwestern und Ärzten und überzeugen wir uns selbst, was wir da lernen können.

Da ist die kleine schwarze Deborah, in der 26. Woche mit 800 Gramm geboren. Klein ist gar kein Ausdruck. Das Mädchen scheint in dem Lammfellchen, auf dem sie liegt, zu verschwinden, ihr zarter Körper ist unter der afrikanisch-bunten Decke kaum als leichte Erhebung wahrzunehmen. Und doch ist sie so sehr da, so präsent mit ihrem wohlgeformten zur Seite gewendeten Lockenköpfchen, den voll geschwungenen Lippen, zwischen denen der riesige Beatmungstubus herausragt, den fast durchsichtigen Händchen. Ganz präsent ist sie nicht nur für den Vater, der sie schüchtern und liebevoll anschaut. Sein Gesicht erhellt sich, als ich ihm sage, wie hübsch seine Tochter ist, wie alles an ihr trotz der Kleinheit so perfekt geformt ist. Die Fingerchen, die sich schwach regen, das Ohr, ein minutiöses Formwunder der Natur, die Augen. Sie öffnen sich jetzt, schauen – zunächst auf das Händchen, dann in die Ferne. Ein Blick, der nicht nur ins Weite geht, sondern von weit her zu kommen scheint. Anders als der eines reifen Neugeborenen. Ein Blick aus einer fernen Welt, fast unheimlich, außerirdisch. Er zieht mich in seinen Bann.

Nun kommt etwas Neues in ihr Verhalten. Sie ist wach. Die Realität ihrer unnatürlichen Situation bekommt Macht über sie, das Rohr in ihrer Mundhöhle, das sie an jeder Lautäußerung hindert, die flache, ungewohnt gestreckte Lage auf dem Rücken in einer trockenen, weichen und doch kratzigen Umhüllung, die vielen Kabel an ihrem Körper und in ihrer Nase. Jede Bewegung – ohnehin viel mühsamer als in der Schwerelosigkeit im Leib der Mutter – schmerzt. Ihr Gesicht faltet sich gequält, wird ganz klein. Die Hände krümmen sich, die Beinchen zucken. Schreien. Das geht nicht. Wenn da nicht der Vater wäre und die ständig besorgt aufmerksamen Schwestern, würde niemand bemerken, was in ihr vorgeht.

Der Vater fasst nun mit seiner Hand hinein zu ihr. Er streicht ihr langsam beruhigend über das Köpfchen und sagt etwas zu seinem Kind. Er streicht mit seinem Finger über die Ärmchen, über den Bauch. Die Züge der kleinen Deborah glätten sich für einige Augenblicke. Sie scheint wieder einzuschlafen. Dann jedoch meldet sich irgendetwas in ihrem Inneren, ein Aufruhr, eine stürmische Qual. Ihr Gesicht krampft sich zusammen. Tiefe Falten entstehen über der Nase. Der Kopf bewegt sich wie abwehrend hin und her. Die Schwester kommt und sagt: »Du hast Hunger, nicht wahr.«

Am nächsten Morgen wird Deborah in aller Frühe von ihrem Tubus befreit. Der Arzt versucht behutsam, sie von der künstlichen Beatmung unabhängig zu machen. »Wenn sie es bis mittags schafft, ist alles gewonnen«, sagt er. Sie schafft es. »Kurze Zeit, nachdem wir ihr den Tubus herausgezogen haben (die Sonden werden zwei bis drei Tage später entfernt), sah sie ganz ruhig und zufrieden aus. Sie rutschte ein wenig auf ihrem Fellchen hin und her, es sah aus, als rekelte sie sich. Und dann plötzlich nahm sie ihr Händchen an den Mund, steckte den

Daumen hinein und nuckelte. Alle Falten in ihrem Gesicht waren verschwunden.«

Woher weiß der Arzt, ob so ein Frühgeborenes so weit ist, dass es allein atmen kann? »Schwer zu erklären. Erfahrung und Kommunikation mit dem kleinen Patienten sind sicher das Wichtigste. Und natürlich stütze ich mich auf die gemessenen biologischen und von den Apparaten repräsentierten Daten, zum Beispiel vom Beatmungsgerät. Diese Daten geben wichtige Hinweise, ob die Fähigkeit des Babys, seine Atmung selbständig zu übernehmen, weit genug gereift ist. Der letzte entscheidende Schritt jedoch ist nur in dem engen aufmerksamen Kontakt und der Kommunikation mit dem Baby möglich. Ich schaue morgens zu dem Baby in den Brutkasten hinein, und dann teilt es mir mit, ob ich es wagen kann.« Die »Informationen«, die er von diesem Kind erhält, kommen zum großen Teil unbewusst intuitiv herüber – eine Vielfalt von Signalen, die sonst nur Eltern wahrnehmen können und eben einige besonders feinfühlige, mit diesem Kind bereits vertraute Menschen. Bei einem Neonatologen, der »seine« Babys nun schon seit zwei Wochen täglich beobachtet und behandelt, treffen sie noch mit seiner professionellen Erfahrung zusammen: Er beobachtet die Hautfarbe, die Wärme oder Kälte der Haut, die Muskelspannung, die Haltung der Händchen und des ganzen Körpers, die Atmung (bei Frühchen, die nicht intubiert sind) – und nicht zuletzt den Gesichtsausdruck. Denn diese Babys verfügen so früh schon über ganz intensive Ausdrucksmöglichkeiten – einige friedliche, ja strahlende und viele Schattierungen von leichtem bis zu intensivem Unwohlsein, Kummer, Einsamkeit, aber auch gelegentlich einfach Missmut oder Ärger.

Was der Arzt da an Signalen empfängt, die ihn wissen lassen, wie er handeln darf, ist die *stumme Sprache*, die jede Mutter, die sich auf ihr Baby einlässt, versteht. Es ist eine Sprache, in der Gefühle hinüber und herüber gehen – körperliche und seelische. Eigentlich sind beide immer zusammen. Und nur, weil die feinen, intuitiv und blitzschnell aufgenommenen Gefühls-Sprach-Figuren sich bei Mutter und Kind ähneln, weil sie in einem biologisch-kulturellen Erbe verhaftet sind, können sie aufgenommen und begriffen werden. Das geht schneller als später bei gesprochener Sprache, die ein Minimum an Nachdenken erfordert. Hier erzeugen Gefühlsbotschaften noch vor jedem Nachdenken Antworten, Reaktionen. Es ist die besondere Stärke eines Neugeborenen, auch eines so unreifen Neugeborenen, diese Antworten und blitzschnellen Reaktionen abzurufen. Und es ist die Stärke unseres evolutionären Erbes, dass wir als Erwachsene angemessen in Sekundenbruchteilen darauf reagieren können. Nur so können wir auch besonders schwache Babys am Leben erhalten. Wir sollten sogar sagen: Nur so schaffen sie es, ja zwingen sie uns, dass wir sie am Leben erhalten.

Nebenan sitzt Rachel, eine junge Amerikanerin, in einem Liegestuhl. Sie hat zwei Babys auf dem Bauch liegen, ihre Zwillinge, Schwestern, einander nicht ähnlicher als Geschwister. Sie kamen in der 32. Woche zur Welt. Später bekommt die Mutter ein Kissen auf den Schoß, auf dem ihre beiden Babys, jedes seitlich unter einem Arm herausguckend, an ihren Brüsten trinken. Diese sind größer als die kleinen Köpfchen.

»Als sie geboren wurden, habe ich Angst gehabt, denn sie sahen gar nicht wie normale Babys aus, so klein und zerbrechlich.«

Wie hat sie mit ihren Kindern zuerst gesprochen? Sie überlegt. »Ich glaube ..., ja, englisch. Ich habe gesagt – ›Hello,

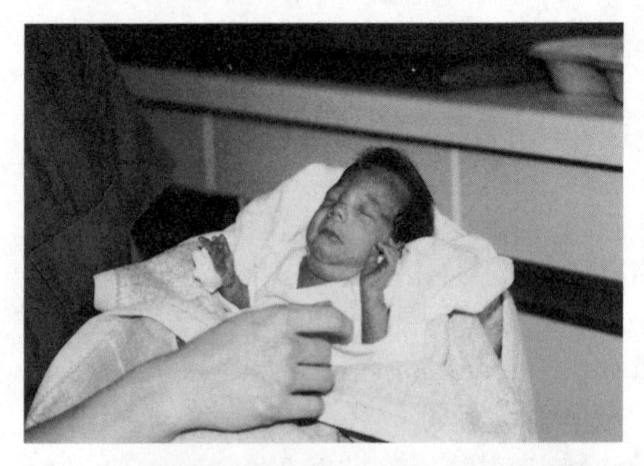

Hier noch einmal die kleine schlafende Eda (1). Nach dem Erwachen gähnt sie (2) und streckt sich (3). Ihr Gesicht zeigt bereits beginnenden Unmut. Sie hat großen Hunger.

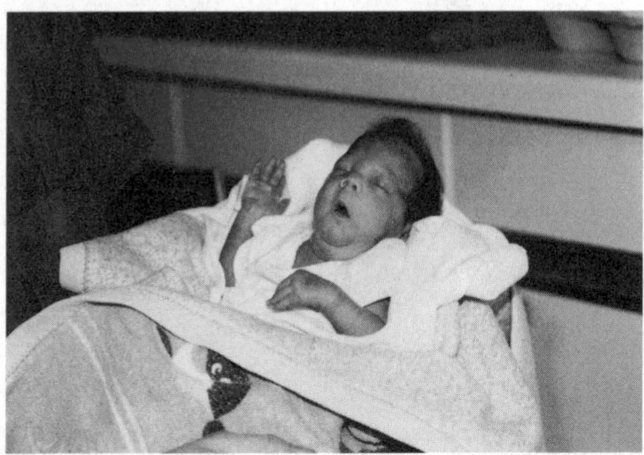

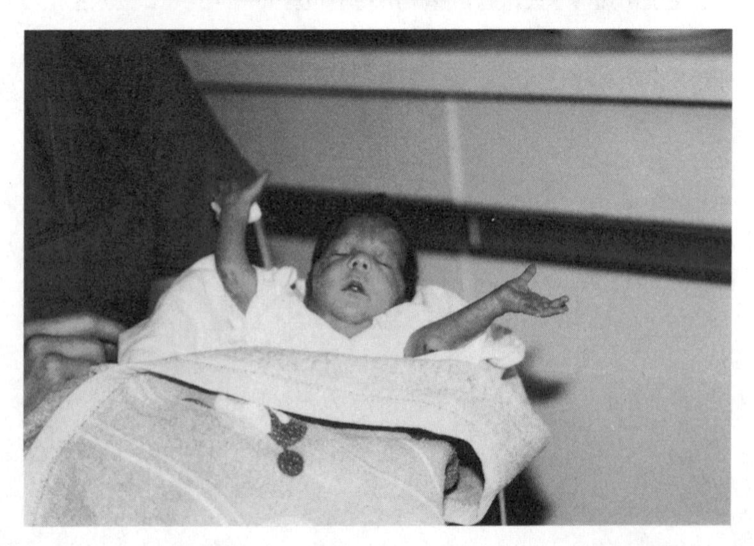

Lautstark, mit unglücklich gerunzelter Stirn und angespannten Händchen drückt sie ihre Gefühle aus (4). Sie schreit noch, als das Fläschchen ihre Lippen berührt (5). Nun ist alles gut (6). Edas Gesicht und Händchen entspannen sich. Ihre Augen öffnen sich interessiert.

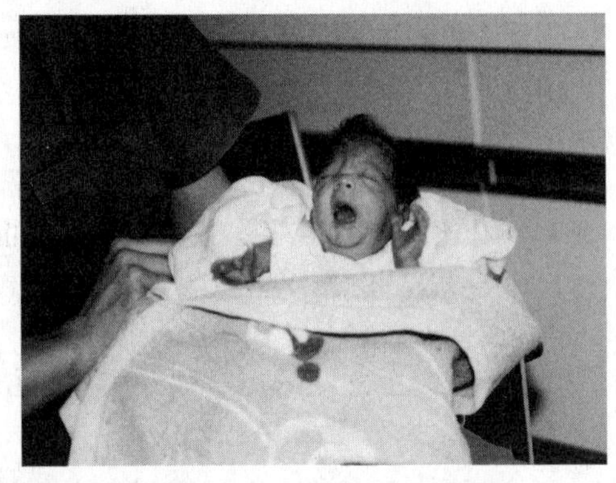

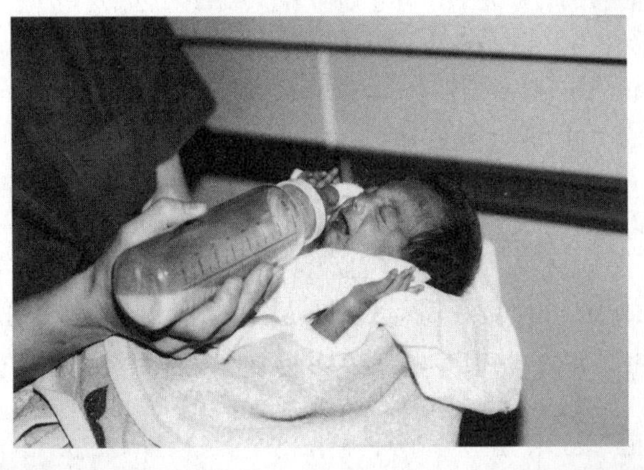

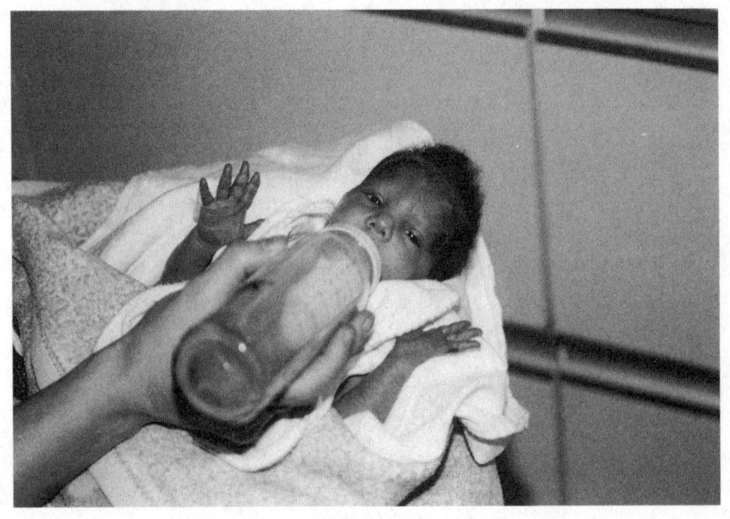

sweeties‹ und so was.« Der Vater sagt jeden Abend beim Weggehen: »Na, ihr kleinen Schnuckelchen, schlaft schön.« Immer das Gleiche. Es ist ein Ritual. Viele Eltern hier haben solche Rituale. Sie wollen damit den Kindern Sicherheit geben, damit sie keine Angst haben. Das erzählen mir die Schwestern.

Ich frage Rachel, ob ihre Kinder ihr zeigen, was sie gern haben und was nicht. »O ja«, antwortet sie, »am liebsten haben sie es, wenn sie so auf mir drauf sind, mit ihrem Bauch auf meinem, beide zusammen. Dann schlafen sie ganz ruhig. Sie mögen es nicht, wenn ich sie von mir weg halte. Sie haben es gern, wenn ich sie ansinge. Manchmal lächeln sie. Man sagt ja, das bedeute noch nichts. Aber für mich schon. Ich glaube, sie haben dann gute Gefühle oder Träume. Sie sind beide ganz unterschiedlich. Ellen (die blondere von beiden) ist irgendwie rabiater als Magdalena. Sie saugt eben ›rabiat‹, energisch, gierig. Magdalena trinkt langsamer, macht Pausen.« Beide Babys schauen jetzt in das über sie gebeugte Gesicht der Mutter. Ihre Händchen tasten mit leicht gespreizten Fingern über die Brust. Rachel lehnt sich wieder zurück. Sie genießt es. »Magdalena mag, wenn man sie am Ohr krault, dann schnurrt sie. Sie macht so kleine Laute wie ein Kätzchen, das sich wohl fühlt.« Ellen hat als Erste fertig getrunken. Eine Schwester windelt sie, zieht sie neu an und legt sie neben die Mutter in ihr Bettchen. Ellen schaut nun die Mama groß an. Lange und aufmerksam. Sie strengt sich wirklich an, die Augen offen zu halten. Dann übermannt sie der Schlaf.

Barbara bekam ihre Tochter Laura in der 34. Woche. Sie füttert sie mit dem Fläschchen. Laura in ihrem Arm blickt zu ihr hinauf. »Sie weiß genau, dass ich ihre Mama bin. Ich wollte erst gar keine Kinder. Aber jetzt finde ich es toll. Wenn sie mich so ansieht ... Sie zeigt mir genau, was sie mag. Besonders gern hat sie Musik. Und wenn ich sie in ihr Bettchen lege und die

Spieluhr anmache, dann weiß sie, dass jetzt Zeit ist zu schlafen. Sie kennt das.«

Auch die Schwestern machen für die Babys die Spieluhren an ihrem Bett an, wenn das Kind wissen soll, dass es jetzt Ruhe hat, »dass wir es nicht mehr mit irgendwelchen unangenehmen Dingen belästigen. Die Kinder kennen ihre Musik. Auch andere Musik, die die Eltern gehört haben, als sie noch nicht geboren waren. Sie haben es auch gern, wenn die Eltern mit ihnen sprechen. Sie mögen ihre Stimme. Manche Väter sind da ein bisschen schüchtern. Wir hatten einen, der überbrückte es, indem er seinem Baby stundenlang Geschichten vorlas. Ein anderer hat immer gesungen. Für die Eltern ist es zuerst nicht leicht. Sie sind so erschreckt über den Anblick dieses kleinen Wesens, und es nimmt sie ziemlich mit zu sehen, was wir alles mit ihm anstellen müssen. Es gibt auch für uns so vieles, was wir tun können, um die Babys zu beruhigen. Für viele Kinder ist es wichtig, dass wir sie einhüllen. Die Hülle um ihren Körper gibt ihnen Sicherheit. Sie wollen die Begrenzung spüren. Dann decken wir sie ganz und gar zu. Oder wir bauen ihnen ein Nest aus Kissen. Da kuscheln sie sich von ganz allein ein – sonst sind sie so verloren, so schreckhaft. Es hilft auch, ihnen einfach die Hand auf die Brust zu legen oder sie rund wie einen Fötus im Arm zu halten.«

Bei einem Kind haben sie beobachtet, dass die Sauerstoffsättigung des Bluts sofort auf »optimal« hochging, wenn die Mutter es in den Arm nahm. »Wir haben das dann auch bei anderen Kindern beobachtet, wenn wir sie auf den Arm nahmen. Manchen geht es nur auf dem Bauch der Mutter gut. Einige Mütter haben hier schon acht Stunden lang so mit ihren Babys gelegen.«

Die Frühchen reagieren aber umgekehrt auch negativ. Zum Beispiel halten einige die Luft an, wenn die Musik aufhört. Ein in der 25. Woche Geborenes hörte zu atmen auf, als die Mutter wegging. Einige von ihnen behalten noch manche negative Reaktion bei, wenn sie größer sind. Ein inzwischen fünfjähriges Mädchen kann es noch heute nicht ertragen, wenn man mit der Hand sein Gesicht berührt, auch wenn man es streicheln will. Als es hier als Baby auf der Station war, hatte es lange Zeit Sonden in der Nase und wurde häufig abgesaugt. Offenbar haben diese unangenehmen Erlebnisse Spuren hinterlassen, auch wenn es sich daran nicht mehr erinnern kann.

Die Schwestern können stundenlang über ihre erstaunlichen Erfahrungen berichten. Man spürt aus ihrer Anteilnahme, wie stark die Babys bei ihnen, ähnlich wie bei den Eltern, Gefühle und fürsorgliches Verhalten mobilisieren. Es wird deutlich, was einem Außenstehenden unglaublich erscheinen mag, dass diese Frühgeborenen, so klein und hilfsbedürftig sie sein mögen, schon aktive Partner in menschlichen Beziehungen sind.

Erleben all diese Kinder Gefühle, so wie es die Mütter ganz eindeutig bekräftigen und auch die Schwestern bestätigen? Was sagen die Ärzte, die hier arbeiten, dazu, eine junge Frau, Ruth Winzen, die selbst ein Kleinkind hat, und Bernhard Ibach, Vater einer schon erwachsenen Tochter? Ohne Zögern meinen sie: »Ja, natürlich, daran besteht gar kein Zweifel.« Auch schon so kleine wie Deborah oder noch kleinere? »Auch sie.« Natürlich wissen die Ärzte nicht gleich beim ersten Kontakt, was alle Signale eines Babys bedeuten. »Dazu muss man schon ein wenig vertrauter mit ihm werden. Zu Anfang können wir nur grob einordnen: Diesem Kind geht es gut und diesem gar nicht.« Später erkennen sie dann feinere Anzeichen: »Wenn's ihnen nicht gut geht«, sagt die Ärztin, »krausen sie die Stirn, sie haben dann tiefe Falten über der Nase und sind völlig angespannt. Wenn's ihnen dagegen gut geht, rutschen sie auf ihrem Fell hin und her und wirken ganz entspannt. Alle diese Babys können sich schon wehren. Oft mag ich nicht in sie reinpieksen. Ich denke dann an mein eigenes Kind. Die Babys zeigen einem schließlich, was sie dabei empfinden. Schon die Allerkleinsten haben eine so lebhafte Mimik. Sie können sich freuen. Immer wieder beobachten wir, wie ihr Herz und ihre Atmung ruhiger werden, wenn die Mutter sie wie ein Känguru unter ihrem Pulli oder ihrer Bluse an der Brust trägt oder hält. Auch bei den Frühgeborenentransporten, die ich häufig gemacht habe, erlebte ich, wie heftig sie reagieren, wie sie schrien und sich dann beruhigten, wenn ich sie streichelte oder auf den Arm nahm. Das hat mich sehr beeindruckt.«

Einige Tage später berichtet mir Bernhard Ibach das Neueste von Deborah. »Der geht's jetzt richtig gut. Sie rekelt sich auf ihrem Fellchen. Und sie will jetzt, dass wir uns mit ihr beschäftigen. Wir haben gemerkt, dass wir das nicht genug tun. Jetzt versucht immer einer von uns, sie ein bisschen bei Laune zu halten. Neulich hat sie mich richtig angelacht. Ihr ganzes Gesicht drückte aufmerksame Zufriedenheit aus. Ich bin selber überrascht darüber.«

Sollen wir nun unseren Augen, Ohren und Händen trauen? Oder sollen wir alle unsere Wahrnehmungen, Empfindungen und unsere Intuition leugnen? Normalerweise zweifeln wir nicht an unseren Sinnen, wenn sie uns sagen, dies ist hell und dies dunkel, das fühlt sich warm oder kalt an, dieser Schrei ist schmerzlich, dieser Mensch freut sich und der andere ist traurig oder wütend. Wer ist eigentlich auf die Idee gekommen, ausgerechnet die Babys an ihrem Lebensanfang, wo sie so heftige Erlebnisse haben, davon auszunehmen?

Es waren merkwürdigerweise gerade diejenigen, die es am besten wissen müssten, die »Fachleute«, die solche Wahrnehmungen als Sentimentalität abtaten. Bis noch vor rund 20 Jahren waren sie felsenfest davon überzeugt, dass sogar reife Neugeborene nichts empfänden – nicht einmal Schmerz. Man ging davon aus, das Kind käme als unbeschriebenes Blatt auf die Welt. In der medizinischen Fachwelt schien niemand auch nur im Traum in Erwägung zu ziehen, es könne vorgeburtliche Erlebnisse – innere und äußere – geben. Hingegen trauten wieder andere »Spezialisten« den allerjüngsten Babys bereits ausgesprochen manipulatorische Bösartigkeit zu, eine Meinung, die sich leider auch bei Laien, sogar bei vielen Eltern noch hält. Man sollte streng mit ihnen umgehen, weil sie bereits kleine Tyrannen wären.

Heute erscheinen uns diese Überzeugungen umso unglaublicher, als alle diese Spezialisten ja längst Gelegenheit hatten, Babys und sogar Frühgeborene in den unterschiedlichsten Situationen zu beobachten. Es ist wie mit dem Schlaf: Obwohl viele Phänomene wie Körperhaltungen in bestimmten rhythmischen Phasenabläufen, obwohl schnelle Augenbewegungen, Veränderungen der Atmung und der Körpertemperatur längst auch ohne die technische Ausrüstung mit Geräten wie EEG festgestellt und sogar einfach gesehen werden konnten, begnügte man sich bis zu Beginn unseres Jahrhunderts mit sehr unwissenschaftlichen Vermutungen.

Sie gipfelten in der um die Jahrhundertwende von dem berühmten russischen Forscher Iwan Pawlow und vielen zeitgenösssischen Neurologen vertretenen Meinung, das Gehirn sei im Schlaf »abgeschaltet«, die Hirnzellen seien inaktiv. Im Dämmerlicht dieser Unwissenheit, die bis 1928, dem Datum der ersten Hirnstromableitung, und sogar bis in die fünfziger Jahre zur Entdeckung des REM-Schlafs andauerte, müssen uns Freuds aus den dreißiger Jahren stammende Arbeiten über die Bedeutung unserer Träume geradezu hellsichtig erscheinen.

Uns solche historischen Fakten ins Gedächtnis zu rufen, mag uns gelegentlich ein wenig vorsichtiger mit wissenschaftlichen Behauptungen umgehen lassen, wie der, ein Neugeborenes oder ein Fötus empfänden noch nichts oder nur wenig.

Inzwischen wissen wir, dass nicht nur das Gehirn eines Erwachsenen, sondern sogar das eines Fötus während des Schlafs eine rege Aktivität aufweist und fast genauso viel Energie verbraucht wie im Wachen. Wir wissen heute auch, dass das ungeborene Kind beinahe den ganzen Tag lang im REM-Schlaf (vom englischen »Rapid-Eye-Movement«) verbringt, der bei ihm nicht nur Traumschlaf, sondern »Entwicklungsschlaf« ist. Diese Bezeichnung haben Schlafforscher aus einem besonderen Grund gewählt: Anders als beim Baby oder bei größeren Kindern und Erwachsenen sind Bewegungen im REM-Schlaf beim Fötus noch nicht blockiert. Der Fötus kann also im Schlaf alles Mögliche lernen, zum Beispiel Bewegungsabläufe einüben, die später nur noch im Wachen möglich sind. Er erlebt seine Umwelt weitgehend im Schlaf – all die Eindrücke, die über Wahrnehmungen und Stoffwechselveränderungen oder Atem- und Herzrhythmusänderungen der Mutter zu ihm gelangen, ebenso seine »Sinnesinformationen« aus seinen Muskeln und Gelenken, die Wahrnehmungen seines inneren Gleich- oder Ungleichgewichts. Sein Gehirn arbeitet dabei immer auf Hochtouren, besonders während der so genannten »aktiven« Schlafphasen. In der späteren Fötalzeit entwickelt sich zunehmend ein Anteil an »Non-REM-Schlaf«, ein »ruhiger« Schlaf, der schon unserem Tiefschlaf ähnelt.

Wir müssen davon ausgehen, dass Schlaf in der Fötal- und auch der ersten nachgeburtlichen Zeit noch eine andere Bedeutung hat als beim älteren Kind und Erwachsenen. Und wir wissen heute, dass lange vor der 39. Woche alle Wahrnehmungssysteme während dieser Schlaf- und Traumzeit im Mutterleib hochaktiv die Entwicklung vorantreiben. Sicher dürfen wir annehmen, dass der Fötus bereits seine Umwelt- und inneren Erlebnisse in Gefühlen während seines Traumschlafs verarbeitet.

Wenn wir soeben erwähnt haben, das Baby sei *nach* der Geburt bereit, kompetent eine Beziehung zu Menschen herzustellen, so dürfen wir also offensichtlich nicht nur an den normalen Geburtstermin dabei denken. *Nach* der Geburt kann auch heißen, nach der 25. Woche zur Welt zu kommen. Und dann entfalten sich alle Sinne offenbar noch viel schneller als im Mutterleib. Um das zu können, mussten sie jedoch schon eine gewisse Reife oder »Bereitschaft« dazu haben. Wie wäre es sonst möglich, dass ein solcher Winzling, kaum dass er im Brutkasten, im Bettchen oder an der Brust der Mutter liegt, schon all das unterscheiden kann, was wir soeben geschildert haben?

Stellen wir unsere Frage nun noch einmal genauer: Erlebt ein Fötus bereits Gefühle wie ein reif zur Welt gekommenes Baby?

Nach allem, was wir hier zusammengetragen haben, scheint offensichtlich, dass das Kind im Mutterleib bereits Gefühle hat und ausdrückt, dass es zudem lange vor der Geburt schon die »Kompetenz« bereithält, bei seinem Eintritt in die Welt »draußen« einen ganzen Fächer von Empfindungen und echten Gefühlen, sogar ziemlich differenzierten »Beziehungsgefühlen« zu entfalten.

Andererseits sollten wir bedenken, dass die Erfahrungsmöglichkeiten des Fötus im Mutterleib begrenzt sind und dass es für ihn außer einer stark biologisch übermittelten noch kaum eine echte soziale Beziehung gibt. Was das Baby und sogar das neugeborene Baby charakterisiert, ist seine Begierde, Beziehungen aufzunehmen, bereits mit dem ersten Blick – ebenso wie mit der Milch –, die Mutter sozusagen einzusaugen und ihr Signale, starke Gefühlssignale zu geben. Dabei ist es unerheblich, dass es erst nach der Geburt wirklich zu sehen beginnt. Diese Fähigkeit entwickelt sich so rasch, dass das Baby im Einklang mit anderen Eindrücken – wie Stimme, Bewegung wahrnehmen, fühlen – sehr rasch, schon in den ersten Stunden die Mutter erkennt.

Dabei bekommt es unendlich viele Gefühlsbotschaften von ihr oder dem Vater zugespielt. Sie sind teils Reaktionen auf sein Verhalten und drücken zum Teil ihre Erwartungen, emotionale Erwartungen an das Baby aus. Sie lösen damit wieder leicht anders gefärbte Gefühle und Verhaltensweisen beim Kind aus. Es ist wie beim Sprechenlernen: Da wird immer wieder im Wechselspiel etwas leicht abgewandelt zurückgegeben und gelegentlich etwas Neues ausprobiert.

All dies geschieht beim Fötus noch nicht. Er erlebt noch nicht dieses reichhaltige soziale Wechselspiel, in dem Gefühle ausgedrückt, verstanden, beantwortet, *moduliert* und neu erfahren werden. Der Fötus empfindet vielleicht so etwas wie »Basisgefühle«, primäre Emotionen, wie Angst und Wohlfühlen, Dinge, die »Spaß machen«, wie am Daumen zu lutschen oder zu strampeln, vertraute Stimmen zu hören, Musik ... Manches dagegen »tut ihm sicher weh«. Einige Gefühlserlebnisse im Mutterleib sind vielleicht ganz heftig, manche wirklich verletzend. Anhaltende, stark aggressive Ablehnung der Mutter oder lautstark-gewalttätige Auseinandersetzungen zwischen den Eltern traumatisieren das Baby sowohl in seiner körperlichen (es kann dann »zurückbleiben«) als auch seiner seelischen Entwicklung.

Das ist sogar umso schlimmer, als eben noch kein sozialer Kontakt da ist, der diese Dinge auffangen könnte, der hilft, damit fertig zu werden. Denn mit Menschen umgehen zu können, heißt, dass da eine Vermittlung stattfindet, in der auch Schmerzliches zu Erträglichem abgewandelt werden kann: Das, was wir meist als »Gefühle« bezeichnen, wird im sozialen, liebevollen Austausch »mediatisiert«. Und das geschieht beim Fötus noch nicht.

Darum haben seine Gefühle und Emotionen noch eine andere Qualität. Alles wird sozusagen noch ganz »unbearbeitet« erlebt. Er kann noch nicht mit der Mutter oder anderen Menschen darüber kommunizieren. Seine Gefühlssprache bleibt noch ungehört, sie kann noch nicht im Dialog mit der Mutter oder auch anderen hinüber- und herübergehen und davon verfeinert und strukturiert werden. Sie ist jedoch schon Monate vor der Geburt in Bereitschaft dazu.

Geburt – Eintritt in eine andere Welt

Für Mutter und Kind ein unvergleichliches Erlebnis

Was mag der kleine Mensch empfinden, wenn nach neun Monaten Geborgenheit und relativer Ruhe plötzlich alles in Aufruhr gerät und er sich auf die abenteuerliche Reise in eine unbekannte Welt machen muss? Mütter haben unendlich viel über ihre Gebärerlebnisse zu berichten. Noch einige Wochen nach der Geburt werden sie nicht müde, mit Freundinnen alles bis ins winzigste Detail wieder und wieder durchzugehen. In früheren Generationen standen mehr die quälenden Erinnerungen an durchgestandene Schmerzen im Vordergrund, heute sind viele Mütter glücklich, von einer leichten, sanften oder doch erträglichen Geburt erzählen zu können. Sie betonen die Intensität des Erlebnisses, das einen ganz starken, wenn nicht überhaupt den stärksten Gefühlswert für sie hat. Auch die Väter erleben das Geschehen häufig ähnlich intensiv. Da die Mütter heute meist weniger mitgenommen von der Geburt sind und ihre Männer ihnen oft wirklich Anteil nehmend beistehen, können sich Eltern von Anfang an mehr über dies kleine Wunderwesen freuen. Kaum aus seiner dunklen Höhle »gekrochen«, tastet es schon auf dem Mutterleib nach der Brust. Der erste Blick seiner weit geöffneten Augen scheint die Welt zu suchen und findet sie im Blick der Mutter.

Merkwürdig, da taucht eigentlich kaum je die Frage auf, was dies kleine Wesen wohl gerade hinter sich hat, was es erlebt haben mag. Man ist so beschäftigt mit der überwältigenden Gegenwart, mit dem Kennenlernen dieses Neuankömmlings – »Ist es ein Mädchen oder ein Junge? Sieh nur, es nuckelt schon, und schau mal, die kleinen Öhrchen!« –, dass diese Fragen jetzt keine Relevanz haben. Manchmal tauchen sie später auf.

Als eine meiner Töchter geboren wurde und ich sie ein, zwei Stunden danach eingewickelt, so klein und allein neben mir in diesem Puppenbettchen liegen sah, hatte ich das Gefühl, ich müsse sie trösten. Wenn meine Erinnerung nicht trügt, habe ich so etwas gesagt wie, es sei alles gar nicht so schlimm und ich sei ja da. Auch andere Mütter scheinen unmittelbar nach der Entbindung das Bedürfnis zu haben, ihr Kind zu trösten. Ursula Wegener zeichnete für ihre in Salzburg vorgelegte Doktorarbeit zum Beispiel diese kleine Ansprache einer jungen Frau an ihr eben geborenes Baby auf: »Ja! Oh Mäuschen! Ist ja gut. Tsch! Ja! Oh, du kleines Häschen! Was denn? ... Ist es nicht schön hier? Doch nicht? War so anstrengend! Ja! Ja! Ist gut, gut! Ist ja gut, ist alles in Ordnung!«[6] Wie kommen Mütter, wie kam ich darauf?

Meine eigenen Gefühle waren es nicht, die ich da etwa in sie hinein vermutet hätte, denn nie zuvor und nie danach bin ich so glücklich gewesen wie in diesen Stunden. War es der Gedanke, das Geburtserlebnis müsse anstrengend schwer und die Ankunft in diesem weißlackierten Krankenhauszimmer enttäuschend als erstes Erlebnis der Welt »draußen« gewesen sein? War

Julian, acht Wochen

es dieses erste Alleinsein in einem Bettchen, eben noch durch die Nabelschnur mit der Mutter verbunden?

Vielleicht mischte sich in mein Glück doch so etwas wie Trauer über dieses erste Getrenntsein, diese Abnabelung voneinander. Oder teilte mir das Kind affektiv in seinem Verhalten etwas über seinen eben erlebten Stress mit?

Solche Gefühle gehen schnell unter in dem übermächtigen Bewusstsein, das Kind nun wirklich »zu haben«. Jetzt ist es leibhaftig, sichtbar, fühlbar da.

Könnte es nicht für das eben Geborene ähnlich sein? Vielleicht erlebt es – diffus und noch ganz neu, ganz unbekannt – eine Mischung aus Erregung und Frustration.

In den ersten Augenblicken nach der Geburt ist das Kind besonders »wach«, aufnahmebereit. Mit seinen mehr als bei jedem Säugetierbaby entwickelten Sinnen, ja sogar mit dem soeben beginnenden Sehen nimmt es Erstaunliches, Unbekanntes wahr, und besonders wunderbar, all dieses Unbekannte intensiv durchdringend – das Bekannte: die Mutter. Ihren Geruch, ihren Körper, ihren Herzschlag, ihre Stimme und nun auch ihren Blick. All dies zum ersten Mal von außen. Überwältigend, aufregend.

Die Herzfrequenz gibt uns vielleicht Auskunft über seinen Zustand. Sie ist unmittelbar nach der Geburt besonders schnell – 180 Schläge pro Minute. Sie sinkt bald danach auf die für ein Neugeborenes üblichen 140 ab, die sich bis zum Ende des ersten Lebensjahres noch einmal auf 115 Schläge pro Minute verringern.

Das Kind scheint unmittelbar nach der Geburt also in einem Zustand der Erregung zu sein. Es ist sicher auch angestrengt von der Geburt.

Trotzdem wissen wir nun immer noch nicht, was es um dieses Geburtserlebnis herum empfunden hat. Es kann uns leider nichts erzählen, und bisher ist es noch keinem Wissenschaftler gelungen, die Babys zu »befragen« – mit welcher Testmethode auch immer, und auch nicht in ähnlicher Weise wie oben beschrieben.

Dieses Geheimnis behalten die Neugeborenen für sich. Manchmal jedoch lüftet sich der Schleier im späteren Leben, wenn es niemand vermutet.

Die Kunst, zur Welt zu kommen

Sehen wir uns indessen erst einmal an, was ein Baby bei seinem Eintritt in die Welt alles bewältigt.

Ist eine »normale« Geburt traumatisierend für das Baby? Es ist ja bereit dafür und löst den Vorgang – wahrscheinlich durch ein Signal an den mütterlichen Organismus – selber aus und fördert ihn. In den meisten Fällen hat sich das Kind dank der Reifung seines Nervensystems und dank der Schwerkraft schon in der Mitte der Schwangerschaft oder in den letzten Wochen so gedreht und zurechtgerückt, dass sein Kopf unten im Becken der Mutter liegt, der besten Position, um den engen »Geburtskanal« zu passieren und den Weg ins Freie zu finden.

Der wird nun einfach notwendig, denn der Mutterleib wird dem Kind langsam zu eng. Alle seine Fähigkeiten warten darauf, endlich benutzt zu werden. Und dazu brauchen sie die offene und soziale Welt draußen. Seine Atembewegungen sind schon lange eingeschliffen, Schlucken und Saugen hat es bereits geübt, seine Sinne sind bereit, sich wie Blütenknospen zu entfalten, besonders die Augen brauchen nun etwas zu sehen. Seine lange schon angelegte und, wie wir an den Stimm-Wiedererkennungstests gesehen haben, erstaunlich fortgeschrittene Bereitschaft, Beziehungen aufzunehmen, drängt es geradezu nach draußen.

Und noch etwas anderes: Sein Kopf wächst fast beängstigend schnell. Beängstigend, wenn es nun noch im Mutterleib bleiben müsste – denn wie sollte es dann noch nach draußen gelangen? Seiner wachsenden Kopfgröße entspricht die Zunahme seines Gehirnvolumens. Dieses Organ, das bisher und auch in Zukunft seine ganze Entwicklung steuert, braucht jetzt dringend vielfältige Anregung. Seine »Menschlichkeit« kann das Babygehirn nur in einer sozial-affektiven Umwelt entfalten – in einem Wechselspiel mit liebenden Menschen.

Jedoch allein sein rasches Wachstum – zum Zeitpunkt der Geburt etwa halb so groß wie das Gehirn eines einjährigen Kindes und ein Viertel von dem eines Erwachsenen – würde eine Entbindung zu einem späteren Zeitpunkt geradezu unmöglich machen: aus rein »technischen« Gründen. So muss das

Menschenbaby also im Vergleich zu anderen Säugetierkindern als Frühgeborenes zur Welt kommen. Wenn es darauf warten würde, eine mit den Tierbabys vergleichbare Geburtsreife zu erreichen, müsste es noch ein ganzes Jahr im Mutterleib ausharren. Unvorstellbar, wie eine Frau einen solchen Riesen mit einem enormen Kopfumfang zur Welt bringen sollte. Eigentlich ist ein Menschenbaby, ähnlich einem Kängurujungen in seinem Beutel, ein »extrauteriner Embryo«. So jedenfalls nannte es der Harvard-Biologe Stephen Jay Gould. Anthropologen bezeichnen dieses Phänomen des Zu-früh-geboren-Werdens als »Neotonie«.

Wir verstehen jetzt vielleicht besser, warum unsere Neugeborenen noch monatelang den »sozialen Uterus« Familie brauchen – die liebevolle, fürsorgliche Einbettung in eine Familie und die Körper- und Fühlnähe der Mutter.

Während der Geburt und danach ist das Kind einer Reihe von Gefahren und Bedrohungen für seine Gesundheit und sein Leben ausgesetzt. Genau genommen hängen sie letztlich alle mit diesem Umstand zusammen, der den Menschen unter allen Säugern besonders verletzlich macht: seine Unreife zum Zeitpunkt der Geburt. Die bedeutendsten Gefahren sind folgende:

- Sauerstoffmangel während der Geburt und damit eine schlechte Versorgung des hoch empfindlichen Gehirns, dessen Nervenzellen ohne genügend Sauerstoffzufuhr zugrunde gehen.
- Ein plötzlich dramatisch absinkender Blutzuckerspiegel, wobei wieder das Gehirn am meisten betroffen ist, denn es braucht eine gleichmäßige und ausreichende Glucosezufuhr.
- Unterkühlung
- Infektionen

Das Kind muss jedoch auch eine Vielzahl von einschneidenden Umstellungen bewältigen. Obwohl es darauf vorbereitet und von der Natur dafür ausgestattet ist, sind sie ein intensives, belastendes Gesamtgeschehen. Und da nicht immer alles so glatt und störungslos vor sich geht wie bei einem vergleichsweise »fertig« zur Welt kommenden Tierbaby, das Neugeborene jedoch seinerseits ein den kleinen Säugern weit überlegenes Wahrnehmungssystem hat, müssen wir annehmen, dass das Baby bei all dem etwas *erlebt.*

Unser ganzes Leben lang bemerken wir unser körperliches Befinden vor allem dann, wenn wir oder irgendetwas in uns von einem Zustand in einen anderen überwechseln: Wir wachen gegen vier Uhr morgens leicht auf, wenn unser vegetatives Nervensystem von Nachtruhe auf Tagesaktivität – vom »parasympathischen« auf das »sympathische« System – umschaltet, wenn die Körpertemperatur plötzlich ansteigt, wir nehmen unseren Körper zur Kenntnis, wenn wir Hunger oder Durst haben, wenn uns plötzlich kalt wird, wenn wir vor Müdigkeit »umkippen«, wenn uns unter zu hoher Anspannung der Kopf wehtut usw. Dagegen nehmen wir selten wahr, dass es uns einfach gut geht, dass alles im Gleichgewicht ist. Allenfalls empfinden wir nach Mangelsituationen wie Hunger, Kälte, Schmerz nunmehr angenehm wohliges Sattsein, kuschelige Wärme oder Befreiung von Schmerzen. Unsere Füße oder irgendein anderer Körperteil gelangen nur in unser Bewusstsein, wenn sie wehtun. Das heißt, Wahrnehmungen und Empfindungen werden offenbar besonders dann mobilisiert, wenn das Pendel unserer Befindlichkeiten besonders weit ausschlägt. Gleichgewicht und Harmonie gelten dem Körper als »selbstverständlich«, obwohl sie doch kaum je erreicht werden.

Ich denke, einer so gewaltigen Umstellung, wie sie das Kind

bei seinem Übergang von seiner schwerelosen und fast bedürfnislosen Welt im Mutterleib in die äußere, anderen Gesetzen unterworfene Welt der Schwerkraft, der Luft, der Kälte, des Hungers und des Verlustes geborgener Umhüllung erfährt, *muss* ein Erleben in Empfindungen und Emotionen entsprechen.

Dieses Erleben lässt sich an bestimmten Tatsachen festmachen:

- Das Kind ist plötzlich der Schwerkraft unterworfen. Sie zerrt wie mit zahllosen Gewichten an seinen Gliedmaßen und seinem Kopf, der plötzlich schwer wie ein Stein zu sein scheint. Wir brauchen nur hinzuschauen, wie schwierig jetzt Bewegungen sind – an Herumdrehen wie in der Quasi-Schwerelosigkeit des Mutterleibs ist vorerst nicht zu denken. Es wird ein ganzes Jahr dauern, bis das Baby sich gegen die Erdanziehung aus der horizontalen in eine vertikale Haltung aufrichten kann.
- Die zarte Haut ist plötzlich ungewohnter Trockenheit und der Rauheit unzähliger Berührungen ausgesetzt. Das Nervensystem wird von diesen taktilen Reizen geradezu überflutet. Dabei empfindet das Baby die neue »Grenzenlosigkeit« um seinen Körper (wenn es beispielsweise nackt auf dem Tisch liegt) als ebenso beunruhigend wie zu viele ungewohnte Berührungen – durch Stoffe, Kleidung, Hände. Am wohlsten und »normalsten« würde es sich im ungehinderten Hautkontakt am Körper seiner Mutter fühlen. Wenn es nackt auf ihrem Bauch liegt oder wenn sie es rund und fest in ihrem Arm hält, ist seine »Welt in Ordnung«, sind sein inneres und äußeres Gleichgewicht wiederhergestellt.
- Nach der gleichmäßigen Wärme im Mutterleib erlebt der kleine Körper einen Kälteschock. Er kommt aus einer 37 Grad warmen Umgebung in eine, die nur 21 bis 25 Grad

misst. Und dabei ist es auch noch nass. Das Baby muss jetzt schnell so etwas wie ein Thermostatsystem entwickeln, um die Körpertemperatur gleichmäßig zu erhalten und sie in eigenen chronobiologischen Rhythmen zu regeln. Dies ist notwendig, damit alle seine Organe richtig funktionieren. Nach etwa drei Tagen kann es seine Temperatur selber regeln. Anfangs verfügt es wie manche Säugetiere während ihres Winterschlafs über eine besondere Heizquelle: das braune Fettgewebe, das sich am Ende der Entwicklung im Mutterleib um seinen Hals, die Schultern, die Nieren gebildet hat. Es scheint so, als habe die Natur vorgesehen, dass der kleine Erdenbürger zuerst einmal mit dem Bauch am warmen Körper seiner Mutter getragen wird.[7] Viele Mütter sind heute instinktiv wieder dazu übergegangen, ihr Baby in einem Tragetuch oder -gurt an ihrem Bauch oder Rücken festzumachen.

- Helles, manchmal grelles Licht schmerzt die noch an Dunkelheit gewöhnten Augen. Laute und ungewohnte Geräusche treffen das Gehör, das bisher alles, was außerhalb des Mutterleibs war, gedämpft wahrgenommen hat.
- Mit dem paradiesischen Leben ohne Durst und Hunger ist es plötzlich vorbei. Die in stetem Fluss Nahrung spendende Nabelschnur ist abgeschnitten. Das Neugeborene muss jetzt sofort Nahrung suchen, sonst könnte sein Gehirn schnell in einen Notzustand der Unterzuckerung (siehe oben) geraten. Es verfügt über keinerlei Energiereserven, hat aber während des Geburtsvorgangs und unmittelbar danach besonders viel verbraucht. Darum sucht es gleich in den ersten Minuten und Stunden nach der Geburt die Mutterbrust. Es ist wichtig, dass es dies sofort ausprobieren darf. Denn es kann es in dieser »sensiblen« Phase am besten lernen. Sein Gehirn speichert sofort jeden gelungenen Versuch, Milch aus der Brust

seiner Mutter zu saugen. Die nächsten werden dann umso leichter. Lässt man dagegen vor diesem ersten Versuch 24 Stunden verstreichen, so geht alles nicht mehr so leicht vonstatten. Erst 48 Stunden nach der Geburt erlangt das Baby wieder die gleiche Geschicklichkeit wie am Anfang, mit dem Saugen zurechtzukommen. Offenbar ist es biologisch »programmiert«, gleich nach der Geburt die so genannte Vormilch zu saugen. Es soll unbedingt das wertvolle Kolostrum, reich an Nähr-, Abwehrstoffen und Mineralien, als erste Intensivnahrung und Immunisierung mitbekommen. Später passt sich die Mutter mit ihrer Milch und deren Zusammensetzung den sich immer wieder ändernden Bedürfnissen ihres Babys an, so wie sie es auch in ihrem Verhalten entsprechend den seelischen und sozialen Bedürfnissen tut.

- Das Dringendste jedoch, eine Frage von Sein oder Nichtsein, ist jetzt, dass das Baby aktiv selber für Sauerstoff sorgt. Denn dessen Zufuhr über die Nabelschnur ist plötzlich unterbrochen. Jede seiner Körperzellen und vor allem das für Sauerstoffmangel besonders anfällige Gehirn müssen mit diesem Lebenselixier versorgt werden. Das heißt: atmen. Das Kind ringt buchstäblich nach Luft. Die eben noch im engen »Geburtskanal« zusammengepressten Lungen blähen sich auf. Kein Wunder, dass der erste Atemzug so angespannt, ja besorgt von allen erwartet wird.

Später erscheint uns Luftholen als das Einfachste auf der Welt. Beim ersten Mal jedoch ist das keineswegs so einfach. Viele Vorgänge laufen dabei fast gleichzeitig ab, sie müssen minutiös aufeinander abgestimmt sein. Was da – für unsere Augen unbemerkt – passiert, ist dramatisch. Denn wenn die erste Atemluft in die Lunge gelangt, vollzieht sich im Organismus des Babys eine grundlegende Umstellung. Sehen wir

uns das der Reihe nach an, um nachvollziehen zu können, was das Kind da in wenigen Augenblicken bewältigt.
Zum Zeitpunkt der Geburt ist die Lunge zunächst noch mit Flüssigkeit gefüllt. In dem Augenblick, in dem das Baby seinen ersten kräftigen Atemzug tut, wird sie mit der einströmenden Luft durch die hauchfeinen Membranen der Lungenbläschen, der Alveolen, gepresst und gelangt in die Blutgefäße der Lunge. Dieser plötzliche und massive Flüssigkeitszufluss trägt dazu bei, dass der Blutkreislauf der Lunge in Gang gesetzt wird. Mit dem ersten Atemzug strömt jedoch nicht nur Luft in die Lunge und Blut in ihre vielen, fein verästelten Gefäße, der Blutkreislauf im Körper des Kindes wird nun vollkommen umgeleitet, wie ein Fluss, den man in eine andere Richtung lenkt.
Unter dem Einfluss der Sauerstoff- und Blutzufuhr in die Lunge schließen sich nämlich fast gleichzeitig mit ihrem Aufblähen drei »Ventile«. Eines sperrt jetzt die Vene, durch die vor der Geburt frisches Blut aus der Nabelschnur zum Herzen geführt wurde. Ein anderes verschließt einen Gefäßkanal, der bisher das meiste Blut an der Lunge vorbeileitete. Ein drittes »Ventil« sitzt mitten im Herzen. Es klappt zu, weil das Blut jetzt nicht mehr aus der rechten Herzkammer in die linke strömt. Rechts hat der Druck nach dem Abnabeln stark nachgelassen. Jetzt ist es die Lunge, die plötzlich vom Kreislauf versorgt werden muss, so dass auch dadurch Blut aus dieser rechten Herzkammer abgezogen wird. Beim ersten Atemzug gelangte andererseits zum ersten Mal mit Sauerstoff aus der Lunge angereichertes Blut in die linke Herzkammer. Der abnehmende Druck rechts und der kräftig zunehmende links drückt die Klappe zwischen den beiden Herzhälften zu. Erst nach und nach wächst sie richtig zu.

All dies zeigt, wie erstaunlich gut das Kind vorbereitet ist, auf die Welt zu kommen. Trotzdem wird gleichzeitig deutlich, dass die Anstrengungen, Leistungen und Umstellungen, die es zu bewältigen hat, zusammengenommen mit der trotz aller Tricks der Natur schwierigen und sicher quälenden Passage durch den engen Geburtstunnel, eine ungeheure, ja unvorstellbare Belastung sind. Die Meinungen der Fachleute, ob eine normale Geburt für ein Baby traumatisierend sei, gehen auseinander, je nachdem, ob sie mehr den Akzent auf die Bereitschaft zur Welt zu kommen oder die eben erwähnten Belastungen legen. Lassen wir abschließend noch einmal den Neonatologen Bernhard Ibach zu Wort kommen. Er beobachtete, dass vielen unter ganz normalen Umständen zur Welt gekommenen Neugeborenen offensichtlich »ganz schlecht ist«. »Häufig sind sie in den ersten 24 Stunden sehr mitgenommen, sie erbrechen und benehmen sich wie Seekranke.« Er wundert sich nicht darüber.

Ich denke, die Frage lässt sich, wie so vieles, nur aus unserer Sensibilität für das Kind beantworten.

Wenn Geburt zum Trauma wird

Ich zeichne dies alles mit solcher Ausführlichkeit auf, um eine Ahnung von diesem für uns letztlich unbegreiflichen, emotional nicht mehr nachvollziehbaren Geschehen um die Geburt herum zu vermitteln.

Es liegt nahe, dass alle, die das Kind liebevoll in Empfang nehmen wollen, bemüht sind, den für das Baby anstrengenden Weg in die Welt so sanft und gewaltlos wie möglich zu gestalten.

Wir wissen, dass dies auch heute nicht immer geschieht.

Die Folgen einer für das Kind und auch die Mutter rücksichtslosen Entbindungshandhabung, ja, manchmal echter Gewalt, mögen oft schnell überwunden sein. Das Kind »erinnert« sich später nicht mehr daran. Dennoch können solche Entbindungen Spuren und Wunden hinterlassen. Fast nie erfahren wir welche. Manche indessen heilen nie.

Der amerikanischen Psychoanalytikerin Paula M. S. Ingalls gelang es nach einer jahrelangen Therapie, dem Horror-Erlebnis ihrer eigenen Geburt auf die Spur zu kommen. Sie schildert es eindrucksvoll in einem Beitrag der *Internationalen Zeitschrift für pränatale und perinatale Psychologie und Medizin*. Ich gebe es hier, aus dem Englischen übertragen, sinngemäß wieder:

»Nachdem ich vor und während der Geburt mehreren Traumen ausgeliefert war, wurde ich nach der Entbindung kopfüber an den Füßen gehalten, man klappste mich wieder und wieder, um den gewünschten Schrei auszulösen, der die unabhängige Atmung in Gang bringen sollte. Das Schlagen kam aus dem Nichts; das vertrauensvolle Neugeborene, das ich war, wurde davon total überrascht. Zuerst war der Schock so groß, dass ich gelähmt war, während mich Speichel und Lungenflüssigkeit würgten. Da es um mein Leben ging, schaltete mein Gehirn mit Hochtouren auf Stress und ich reagierte zunächst mit einer blinden mörderischen Wut, dann verlor ich das Bewusstsein. Auf diese Episode der Überstimulation fogte eine der Unterstimulation. Während des darauf folgenden Traumas wurde ich in diesem Schockzustand ohne irgendeine Behandlung liegen gelassen. Ich fühlte mich abgelehnt und im Stich gelassen. Da ich eine Linderung von all diesen schlimmen Erlebnissen brauchte, wurde ich jetzt wütend auf mich selbst, dass ich die von dem Trauma erzeugten, aufgestauten Emotionen und Gefühle nicht ohne Hilfe bewältigen konnte. Das Misslingen lehrte mich, den bewusstlosen Zustand nachzuahmen, indem ich stocksteif in meinem Bettchen lag und alle Wahrnehmungen und Gefühle blockierte, ich brach die Kommunikation mit mir selber ab – ein erstes Anzeichen der Verdrängung. Nicht lange danach wurde ich alle zwei Stunden zwangsernährt. Wieder hatte ich die gleiche Stressreaktion. Als meine Wut sich als machtlos erwies, wurde ich apathisch. Mein ganzes weiteres Leben lang, bis ich mit der Psychotherapie begann, blieb ich ständig in einem Zustand von Übererregtheit, immer bereit, mit Kampf oder Flucht auf die einfachste eingebildete oder reale Gefahr zu reagieren. Ich war immer unterwegs. Ich konnte niemals ruhen und still stehen oder sitzen.«[8]

Die Analytikerin schildert dann, wie sie im Laufe ihrer Kindheit Lernschwierigkeiten entwickelte: Legasthenie, Gedächtnisschwäche, Konzentrationsstörungen, die Unfähigkeit, bestimmte Inhalte sinngemäß zu erfassen, Sprachprobleme, Kommunikationsschwierigkeiten. Mit acht Jahren, schreibt sie, hatte sie aufgehört, jemals eine Frage zu stellen. Um zu fragen, müsse man hoffen können. Das aber konnte sie nicht. Denn während ihrer frühen Kindheit interpretierte sie jede, auch die harmloseste Verweigerung wie eines Bonbons zum Beispiel als heftige Ablehnung. Jedes dieser Erlebnisse bedeutete, dass ihr »Upsidedown (Kopfüber)-Trauma« wieder lebendig, wieder aktiviert wurde. Sie konnte sich nicht erinnern und es herausfinden. Erst viel später, als erwachsene Frau, nachdem sie einen ziemlich schlechten Collegeabschluss gemacht hatte, konnte sie während einer Phsychotherapie ihr Studium mit Erfolg wieder aufnehmen. Sie war inzwischen vierzig. Sie schildert sich in den Jahren davor als fanatisch und fundamentalistisch in ihren Ansichten und ihrer geistigen Haltung, sie war aggressiv. Toleranz, Fairness und Anteilnahme waren ihr unmöglich. In Worten war sie genauso gewalttätig wie in Gedanken. Erst die Therapie brachte ihr mit dem Zugang zu ihrem am Lebensbeginn erlebten Trauma eine Art Erlösung.

Ihr Kommentar: »Dies ist ein Beispiel dafür, dass das Gehirn viel mehr kann, als wir uns vorstellen, denn es bleibt plastisch (das heißt formbar, entwicklungsfähig, Anmerkung der Autorin) genug, um ein früh ausgelöstes neurochemisches Ungleichgewicht und ›falsch gelernte Nervenverbindungen‹ wieder zu korrigieren und auszugleichen.«

Was da während dieser gewalttätigen Entbindung in ihrem noch unreifen Gehirn passiert war, lässt sich in der Tat als ein solches »Mislearning« (falsches Lernen) beschreiben. Denn jede Reaktion auf einen äußeren Reiz schafft neue oder verstärkt synaptische Verbindungen zwischen Nervenzellen. Zuerst sind dies bei einem Neugeborenen noch wenige im Vergleich zu denen eines erwachsenen Gehirns, die dann schon ein sehr variationsreiches Verhalten erlauben. Babys, die früh, schon als Neugeborene lernen, dass ihre Signale nicht aufgenommen und beantwortet werden, dass ihre Wut und Auflehnung ohnmächtig bleiben, entwickeln Verhaltensmuster, die noch nicht aus Denkarbeit oder mithilfe von Denkarbeit, sondern aus reiner Emotionalität entstanden sind. Sie ziehen sich entweder resigniert und ängstlich in sich zurück und/oder behalten ständig die innere Spannung mit Wut und Revolte als emotionalen »Grundtonus« bei. Wenn sie nicht in eine verständnis- und liebevolle Familie hineingeboren werden, in der ihre Appelle auf Antworten treffen, auf ermutigende Gefühlsantworten, dann wird das frühe Verhaltensmuster immer wieder durch negative Erfahrungen bestätigt und verstärkt.

Dies scheint bei Paula Ingalls der Fall gewesen zu sein.

Während der Therapie interpretiert sie ihr Geburtserlebnis so: »Ich versuchte ihnen etwas mitzuteilen, aber sie hörten nicht hin. Sie schlugen mich einfach weiter. Die ganze Welt war gegen mich. Sie hassten mich nicht wirklich, sie nahmen mich einfach nicht zur Kenntnis ... Meine Schreie waren bedeutungslos für sie, mein Protest sinnlos ... Es machte alles so hoffnungslos ... Ich wollte so nicht leben; ich konnte so nicht leben. Da war kein Dialog, kein Geben und Nehmen. Ich schrie in einen leeren Raum; niemand war da. Für sie existierte ich nicht. Ich war ein Gegenstand – ein seelenloses Bündel aus Nerven und Reflexen ... Danach habe ich niemanden mehr um etwas gebeten. Ich protestierte entweder oder blieb stumm. Denn zu bitten, hieß Gefahr laufen, abgelehnt, nicht angehört, wieder zum Äußersten getrieben und dann zu Tode fallen gelassen werden.«

Noch während der Therapie reagierte sie anfangs auf jede Erinnerung im Zusammenhang mit ihrem »Kopfüber-Geburtstrauma«, indem sie wild mit beiden Beinen stieß, so, als seien sie zusammengebunden. Am Ende weinte sie jedes Mal wie ein Baby.

Wir können uns vorstellen, dass Kleinkinder, die sich so »aufführen« wie diese Frau, von ihren Eltern als bockig bestraft werden. Mütter brauchen auch darum so viel Feinfühligkeit und Intuition, um angemessen auf bockiges Verhalten reagieren zu können. Die Ursachen können bei jedem Kind völlig unterschiedlich sein. Und nicht selten mag ein Geburtstrauma den Hintergrund dafür abgeben. Dann wird Strafe das Trauma noch verstärken, das heißt, die dabei beteiligten Prozesse und Nervenbahnen im Gehirn werden erneut stabilisiert.

Gern würden wir annehmen, dies Erlebnis sei eine Ausnahme, ein Extrem. Aber ist das, was die amerikanische Analytikerin hier aus eigenem Erleben schildert, wirklich ungewöhnlich?

Ungewöhnlich ist wohl nur die Tatsache, dass sie durch ihre Analyse Zugang zu diesen frühen Erinnerungen gefunden hat, dass sie plötzlich verstehen konnte, warum sie selber Gewalt als emotionales Grundmuster integriert hatte, und ungewöhnlich auch, dass sie durch ihr spätes Begreifen von dem zwanghaften ihr unbegreiflichen Verhalten befreit wurde.

In Paula Ingalls' Bericht findet sich kein Hinweis auf das Verhalten der Mutter unmittelbar nach der Geburt. Die meisten Mütter werden nach einer solchen Entbindung intuitiv alles tun, um das vom Kind erlebte Trauma aufzufangen, zu »heilen«. Die vielfältigen Möglichkeiten, die ihnen dabei zur Verfügung stehen, schildern wir im Verlauf dieses Buchs. In einigen Fällen, zum Beispiel, wenn ihr Baby auffällig viel schreit und sie sich davon überfordert fühlen, sollten sie fachliche Hilfe suchen.[9]

Wahrscheinlich war diese Mutter besonders hilflos, vielleicht hatte die Schwangerschaft bereits einen negativen Verlauf genommen. Dafür kann es tausend sowohl körperliche als auch seelische und soziale Gründe geben. In den meisten Fällen lässt sich bei einer für Mutter und Kind »geglückten« Schwangerschaft auch eine eher unkomplizierte Geburt erwarten.

Leider werden trotz aller Aufklärungsarbeit der prä- und perinatalen Psychologen und vieler Spezialisten für Perinatologie Entbindungen noch zu häufig in dieser unmenschlichen, dem Kind (und auch der Mutter) gegenüber rücksichtslosen Weise »durchgeführt«. Nicht aus Bösartigkeit oder Sadismus, sondern einfach aus Gedankenlosigkeit und Zeitmangel. Und weil viele, die es doch eigentlich als Fachleute wissen müssten, immer noch so tun, als gäbe es die Forschung der letzten 20 Jahre über den Fötus und das Neugeborene nicht. Sie nehmen sie nicht zur Kenntnis, so, wie die geschäftigen Geburtshelfer um die kleine Paula herum dieses Baby nicht zur Kenntnis genommen haben.

Wir haben geschildert, dass es eigentlich keines Fachwissens bedarf zu wissen, wie wir mit einem Neugeborenen umgehen sollten. Jede Mutter weiß es und fast alle Hebammen. Trotzdem werden auch sie, die es wissen, oft gezwungen, unmenschliche Geburts-»Techniken« zu akzeptieren, weil sie angeblich notwendig sind. Nicht selten dienen sie einfach der Klärung von Machtstrukturen. Wilhem Reich bezeichnete solchen Missbrauch als »medizinisch induzierte Erbsünde«.

Erste Beziehungen

Na – dir gehts aber gut!« sagt Mama, als sie sich über ihr zwei Tage altes Baby beugt, das sie gerade aus seiner Windel schält. Ihre Stimme bewegt sich dabei in einer sanft gedehnten Wellenlinie. Sie schiebt ihre Hände unter Nacken und Köpfchen von der einen Seite und den Rücken von der anderen. Sie stützt ihre Ellbogen auf die Wickelkommode. Halb aufrecht ruht nun der Winzling, sicher gehalten. Mit weit geöffneten Augen erkundet er das nahe Gesicht der Mutter wie eine Landschaft, die von Minute zu Minute, von Stunde zu Stunde vertrauter wird. Eine Landschaft, die angenehm tönt, die leuchtet, mit dunklen Rändern.

Was mag dieses Neugeborene fühlen? Wohligkeit, Neugier, den Rhythmus der Sprachmelodie, die in Wellen seinen Körper durchflutet, Geborgenheit in diesen Wellen und diesem Blick dicht über ihm, der ihn hält wie die Hände im Nacken, Gefühle von irgendwoher, bekannt und doch neu. Ein Empfinden von ganz aufmerksamem, keineswegs passivem Wohlfühlen? Die Mutter weiß es. Das Baby noch nicht. Und doch drückt es mit seiner Haltung, seinem Blick, seiner Mimik aus, was es fühlt. »Dir geht's gut«, sagt die Mutter, als sie es aus der Windel befreit. Das ist nicht alles. Ins Wohlfühlen mischt sich bei dem Baby viel mehr – zum Beispiel das Wiedererkennen: einer aus dem Mutterleib bekannten Stimme, die seit einigen Stunden zu einem Gesicht und ebenfalls bekannten Bewegungen, zu einem Geruch, zu Händen gehört, in denen es rund und sicher liegt, hockt – wie in seiner warmen Höhle vor der Geburt. Das Kind empfindet ein »Zusammen« von Bekanntem und Neuem, das rasch vertraut wird.

Wenn jetzt der frisch gebackene Vater hinzukommt, wird Mama ihm zurufen – und ihre Stimme hat dabei einen besonderen, entzückten Klang : »Schau mal, es erkennt mich!«

Teilt sich ihr Entzücken dem Baby mit, das noch nichts von sich weiß?

Gerade jedoch ist es dabei, etwas über sich zu erfahren: Es fühlt sich so gut an, wenn Mama da ist und all das tut und so klingt. Und nun wird dieses Wohlgefühl noch besser, denn Mamas Gesicht und Stimme sind noch heller geworden. Das Baby weiß nicht, ob es selber fühlt (»selbst« gibt es in seiner Welt noch nicht) oder ob es Mama ist oder »Mamababy«. Aber es fühlt, dass etwas anders ist als vorher, als es allein im Körbchen lag, und dass es noch anders ist, seit seine Mama es so vor sich hält und nickend mit ihm spricht. Und es ist wieder anders, als Papa hinzukommt. Die Intensität des Erlebten steigt an. Nun ist es genug. Mama fühlt es. »Jaaa, jetzt bist du müde«, sagt sie sanft. Und zum Papa: »Siehst du, die Augen fallen ihm zu.« Die Aufregung kann abklingen, in den Traum hinübergleiten.

Was Eltern über die Empfindungen ihres Babys denken

Wir fragen uns eigentlich selten, was ein Neugeborenes wohl erleben mag. Und wenn wir es tun und versuchen, es irgendwie zu erfassen, dann mutmaßen wir allerhand, je nachdem, was wir selber an Erlebnismöglichkeiten haben. Mütter tun es und Väter ebenso. Und wahrscheinlich kommen sie mit ihren Mutmaßungen der Sache am nächsten. Die Mutter »kennt« ja ihr Baby schon, wenn es auf die Welt kommt.

Jedes Mal, wenn wir einem Baby begegnen, können wir nicht umhin, ihm bestimmte Gefühle zuzuschreiben. Wir mögen sie von seinem Verhalten oder seiner Mimik herleiten. Sicher haben unsere Interpretationen jedoch auch mit unserem eigenen Erleben, unserer eigenen Befindlichkeit zu tun. Welche Gefühle wir dem Kind zuschreiben, steht in enger Verbindung zu unseren eigenen jeweiligen Empfindungen und dem, was sich gerade zwischen uns und auch vorher mit unserem Partner oder anderen Menschen abgespielt hat. So geht es vor allem der Mutter. Hätte sie sich an dem Tag elend und überanstrengt gefühlt, vielleicht sogar depressiv, hätte sie dann im Verhalten ihres Babys »Wohlfühlen« entdeckt? Und hätte sie so aufmunternd zu ihm gesprochen, die diffuse Empfindung ihres Babys ausdrückend? Hätte sie es so in ihre Hände genommen und gemeint, dass es sie erkennt? Sicher nicht.

Eltern (und in gewisser Weise alle Erwachsenen) sind im Umgang mit Babys auf ihre Intuition, ihre Feinfühligkeit angewiesen. Diese funktioniert jedoch nur, wenn die eigene Situation, das eigene Erleben »in Ordnung« sind.

Wir überprüfen dann – ebenfalls intuitiv –, ob unsere Mutmaßung über das Erleben, über das Gefühl des Kindes richtig war. Es gibt uns mit seiner Reaktion auf unser Verhalten Auskunft, ob wir »richtig lagen«. Haben wir es falsch verstanden, reagiert es vielleicht gar nicht, wendet sich ab oder weint sogar. Ein Baby, das aufmerksam schaut, wenn die Mutter sagt – »Na, dir gehts aber gut« –, hat sie zwar nicht wortgemäß verstanden, aber es merkt, dass sie in etwas »einstimmt«, dass sie »mitschwingt«, mitfühlt. Und das Kind, so neu auf dieser Welt es sein mag, zeigt mit allen seinen Mitteln, seinem ganzen Körper, dass sie Recht hatte. Wenn es schon einige Wochen älter ist, wird es sie nun anstrahlen.

Die ersten Monate

Wenn alles »neu« ist

Zunächst jedoch ist fast alles Erlebte für den kleinen Neuankömmling »zum ersten Mal«. Mamas Stimme und Geruch waren schon da, aber alles andere und jede Situation, in der ihm nun etwas begegnet, ist noch geschichtslos. Noch keine hat eine Vergangenheit. Da ist nirgendwo eine Erfahrung, auf die das Baby zurückgreifen kann. Alles, was es sieht, fühlt und hört, ist einfach da. Es weiß nicht, wozu Dinge dienen, was sie bedeuten. Trotzdem findet es sich erstaunlich schnell und in einer für sein Überleben sinnvollen Weise zurecht. Es weiß nicht, dass die Brustwarze der Mutter ihm Nahrung gibt. Jedoch sucht es sie zielsicher und saugt gierig. Es weiß nicht, dass Mama die Mama ist. Aber es schaut fasziniert zu ihr auf, als erfasse es die ungeheure Bedeutung für sein Überleben, ja sein ganzes Leben, die in diesem Gesicht strahlt. Die Mutter empfindet es so. Sie wird bald für sich denken: Es liebt mich.

Das Neugeborene begegnet nicht nur allem »Äußeren« zum ersten Mal, sondern auch den meisten der eigenen Emotionen, also dem, was aus seinem Inneren kommt. Es kennt sie ja noch nicht. Die Eltern geben ihm nun mit ihrem Verhalten einen

Anhalt, wie es seine eigenen noch diffusen Gefühlserlebnisse verstehen kann. Nach und nach lernt es aus der Art und Weise, wie wir in bestimmten Situationen mit ihm umgehen, seine eigenen Empfindungen einzuordnen, gewissen Erlebnissen zuzuordnen. Es lernt ebenfalls immer mehr, sich an andere Situationen zu erinnern und zu vergleichen. Das jedoch ist eine lange Geschichte. Sie hängt nicht zuletzt stark davon ab, wie weit die elterlichen Interpretationen mit dem wirklichen Erleben des Babys übereinstimmen.

Kommunikation mit Hilfe von Gefühlen

Vielleicht sind Gefühle sogar das Allererste, was es von der Welt erlebt. Denn zuerst »weiß« es ja noch gar nichts. Es kann noch nichts vergleichen, in Beziehung setzen. Wenn wir versuchen wollen, ein Baby zu »verstehen«, sollten wir gelegentlich daran denken. Wir können uns zwar vorstellen, plötzlich in eine unbekannte Welt versetzt zu sein, wo alles neu für uns ist. Trotzdem haben wir immer noch die Möglichkeit, das Neue mit unseren Erinnerungen an früher Erlebtes zu vergleichen. Wir können Neues mit Altem in Beziehung setzen. Wir haben immer noch Anhaltspunkte und Erfahrungen.

Das Baby hat diese nicht, es sei denn das in der kleinen Welt des Mutterleibs Erlebte. Wie wichtig diese für uns weithin unbekannten, unvorstellbaren Erfahrungen des Ungeborenen für das Baby sind, wird uns noch weiter beschäftigen.

Ungeheuer ist jedenfalls, was das Neugeborene bei seiner Ankunft »draußen« alles bewältigt.

Möglicherweise gelingt ihm das nur so gut und kann es die

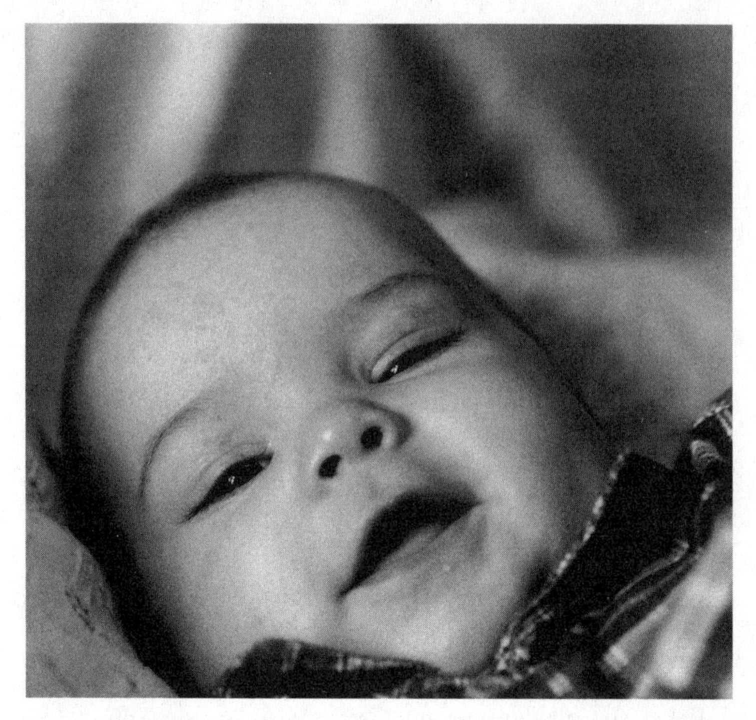

Jasper, sechs Monate

Welt nur darum schon ein wenig »verstehen«, *weil es zuerst alles im Gefühl erlebt.* Und die Eltern können sich darum so gut auf dies kleine, sonst eigentlich ziemlich unbegreifliche Wesen einstellen.

Wahrnehmungen, die als Empfindungen und Gefühle erlebt werden, sind die ersten seelisch-geistigen Instrumente, die dem Baby zur Verfügung stehen. Es benutzt sie, indem es immer den Körper mit einbezieht. Viel mehr, als wir es tun. Es ist sozusagen stets »mit Leib und Seele« dabei, leidenschaftlich fast, *ganz und gar* bei der Sache. Und was es uns mitteilt, ist direkt, augenblicklich und ohne jede Verstellung. Gleichzeitig benutzt das Kind dabei eine Vielzahl von Ausdrucksmitteln, die uns intensiver »treffen«

als die Sprache eines Erwachsenen. Dabei muss »intensiv« nicht immer heißen, dass wir uns all der Zeichen und Signale bewusst würden. Wir nehmen sie mehr als Gesamteindruck intuitiv auf. Und unsere Reaktion darauf ist meist ebenso intuitiv, sie scheint uns von irgendwoher gegeben. Sie muss nicht die vielen Umwege über unsere denkenden abwägenden Gehirnregionen nehmen. Darum erlaubt sie uns, blitzschnell, in Sekundenbruchteilen zu handeln, »richtig« zu handeln. Man könnte sie die »natürliche Kompetenz« der Eltern nennen. Wir verfügen mit der Geburt unseres Babys augenblicklich darüber, genau zu unserem Kind passend, welches, wie wir gezeigt haben, mit unzähligen »natürlichen Kompetenzen« auf die Welt kommt. Und seine wichtigsten Kompetenzen sind nicht, wie wir vielleicht manchmal denken, ob es schon Kraft hat, den Kopf ein wenig anzuheben, oder wie früh es sich auf die Seite dreht, sondern seine feine vielfältige Empfindungs-Ausdruckssprache.

Zum Beispiel, wenn es Hunger hat. Dann schreit es nicht einfach. Zuerst bekommt sein Gesichtchen einen Ausdruck, der zwischen traurig, missgelaunt und schmerzlich liegt. Es schiebt die Unterlippe vor. Ein erster, dann mehrere kleine rufende Schreie kündigen an, dass etwas nicht in Ordnung ist. Sein ganzer Körper scheint zu uns zu sprechen mit Unruhe, Suchen, Hilflosigkeit. Zuerst nur ein wenig, dann zunehmend. Wenn sein Appell nicht beantwortet wird, bekommt seine gesamte Körpersprache etwas Chaotisches. Es zappelt, wird rot, seine Mimik drückt zusammen mit seinem zunächst abgehackten Schreien so etwas wie Verzweiflung aus. Atmen und Schreien geraten nun durcheinander. Es scheint eine Welt ohne Grenzen zu erleben, wo nichts mehr richtig zusammengehört, nichts Vertrauen und Sicherheit bietet. Hunger bedeutet, wenn er nicht gestillt wird, von Bewusstlosigkeit und Tod bedroht sein.

Das Kind weiß das nicht, aber es fühlt es. Sein inneres Gleichgewicht ist verloren gegangen. Nach und nach findet es zu einem rhythmisch vibrierenden Schreien. Es scheint eine gewisse Ordnung in sein Chaos zu bringen. Die Lautstärke hat zugenommen. Das Signal ist eindeutig. Darauf muss man reagieren.[10]

Der gesamte Gefühlsausdruck des gleichen Babys verkehrt sich fast in sein Gegenteil, wenn nun die Mutter kommt. Sie beugt sich über ihr Baby, streichelt ihm mit dem Finger über die Wange. Sofort wendet es das Köpfchen suchend zu ihrer Hand. Während sie mit ihrem tröstenden Tonfall beruhigend und sanft zu ihm spricht – »Na, ist ja gut, ist ja alles gut jetzt, Mama ist da« –, ihm die Hand auf den Bauch legt und es hoch nimmt, zeigt sein Verhalten Veränderung. Es schreit noch, aber es hat nun nicht mehr so chaotische Bewegungen, es scheint wieder auf seine Umwelt aufmerksam zu werden. Die aufrechte Haltung erleichtert es ihm, wieder Kontakt nach »draußen« aufzunehmen. Seine Augen öffnen sich weit, und es schaut nun wieder. Aber noch hält es der Hunger in seiner Spannung. Die lässt nicht sofort nach, wenn es an der Brust liegt. Gierig und noch angespannt mit geballten Fäustchen trinkt das Baby. Es ist jetzt fast bewegungslos, so als müsse es sich mit jedem Muskel seines ganzen Körpers auf das Trinken konzentrieren. Es scheint nicht Milch, sondern Leben einzusaugen – schnell in raschen kräftigen Zügen. Dann macht es eine kleine Pause, um neu ebenso kräftig, gierig und rasch weiterzusaugen. Dies ist ein anderer Rhythmus als der des Schreiens. Er bringt nicht nur Ordnung in sein vorher chaotisches Erleben: Er bringt es *in Ordnung*. Die Wirkung ist heilsam, harmonisierend. Mama und das Baby tun viel mehr als gemeinsam seinen Hunger stillen.

Das Zerfallene fügt sich wieder zusammen. Der ganze Körper des Kindes zeigt dieses Sich-Zusammenfügen. Welcher Unterschied zu dem fahrigen ziellosen Zappeln!

Nach dem ersten entschlossenen, angespannten Saugen entkrampft sich alles – die Mimik, die Händchen. Sie öffnen sich, ertasten zart die Brust der Mutter, spreizen graziös die kleinen Finger ab, unbewusst spielerisch, ganz hingegeben dem zunehmenden Wohlgefühl der Sättigung und der Geborgenheit im Arm der Mutter. Sie fühlt die leichte Berührung seiner Händchen. Ihre Milch fließt sogleich reichhaltiger. Sie sieht auf das Kind herab und empfindet warmen Stolz darüber, dass sie ihrem Kind Nahrung und Beruhigung geben kann. Nun kann es wieder richtig ins Gesicht der Mutter blicken. Sein Blick wandert aufmerksam hin und her, immer auf sie gerichtet, während sie jetzt wieder mit ihm spricht. Seine Züge haben sich geglättet, sie zeigen mehr als Zufriedenheit. Es »antwortet« zwischen den Trinkphasen auf die Mimik und Sprache der Mutter. Sein Gesicht gerät in aufmerksame, erfreute Bewegung.

Wenn Emotionen eine Geschichte bekommen

Nach einigen Erfahrungen mit dem Hungerschreien und dem Erlebnis der wie auf ein Zauberwort herbeikommenden tröstenden und Nahrung spendenden Mutter, hat das Gehirn des Babys diesen Ablauf gespeichert: Es weiß bald, dass es nicht im schrecklichen Hungererlebnis zugrunde gehen muss, sondern dass da jedes Mal die Mama kommt und seine zerfallene Welt wieder zusammenfügt. Bald braucht es nicht mehr so außer sich zu geraten. Sein Schreien wird mehr und mehr zu einem Rufen werden. Vertrauen wird sich anstelle von Chaos und Verzweiflung einnisten. Es erlebt wieder und wieder: Mein Gefühl trifft auf Mamas Gefühl. Es wird von ihr beantwortet, und ich kann diese Antwort verstehen, denn sie löst in mir wieder ein Gefühl aus. Ein gutes. Ich kenne es nun schon. Ich kann darauf warten, wenn es mir ganz schlecht geht.

Diese Erfahrung hat noch weiterreichende Folgen. »Die Gefühle, die mit diesen frühen Erfahrungen einhergehen, lehren das Baby eine Menge über das, was es von Beziehungen erwarten kann«, schreibt Alicia Lieberman. »Ein junges Baby, das schreit, weil es hungrig ist und liebevoll gefüttert wird, lernt, dass es eine Verbindung zwischen seinen Hilfeschreien und einem darauf folgenden Erfolg gibt: die angemessene Reaktion der Mutter ... So ein Baby lernt in Stresssituationen, die in seinem Inneren entstehen, mit Hoffnung zu warten. Die feinfühlige Beantwortung (seines Signals) durch die Mutter hilft ihm, seine Angst in erträglichen Grenzen zu halten.« Dagegen, so meint die amerikanische Kinderspezialistin, entfalte sich eine ganz andere innere Erfahrung, wenn das Baby schreie und schreie und nichts passiere. Dann »kann es keine kausale Verbindung zwischen Brauchen und Bekommen lernen. So steigt mit dem körperlichen Unwohlsein seine Angst, alles würde ohne Ende so weiter gehen. Verzweiflung tritt an die Stelle von Hoffnung, und das Baby hat nur zwei Möglichkeiten, darauf zu reagieren: völlige Auflösung mit heftigem, wütenden Schreien oder Rückzug in lethargischen Schlaf.« Alicia Lieberman betont, dass wenige Tage und Wochen alte Babys, wenn sich der Hunger meldet, noch keine körperlichen Ressourcen haben, die ihnen zu warten helfen.[11]

So etwa mag es ablaufen, wenn ein Kind zu lernen beginnt, mit einem eigenen Gefühl umzugehen. Die anfangs »rohe«,

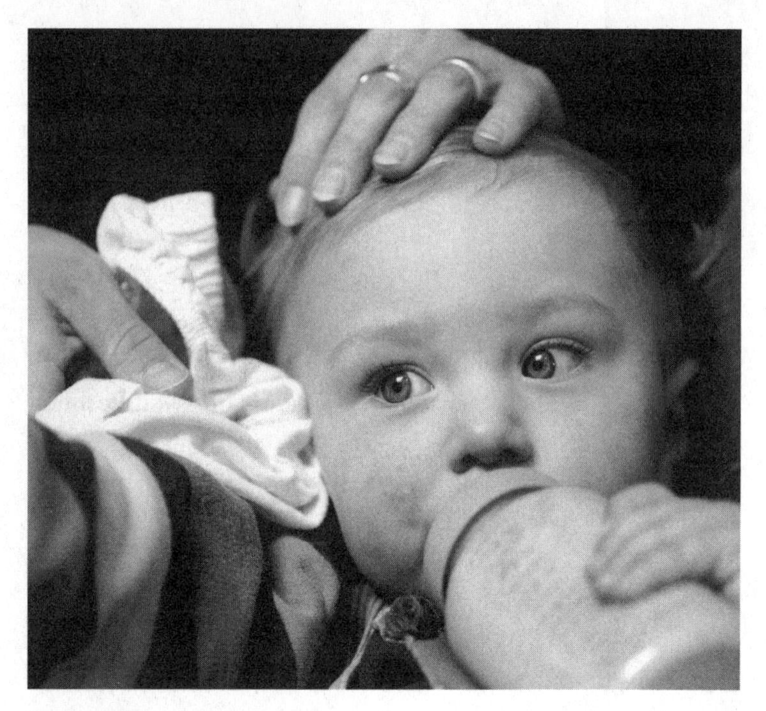

Paul, ein Jahr

spontane, pure Emotion bekommt eine kleine Geschichte. In dem Hin und Her der Kommunikation mit der Mutter erhält sie einen sozialen Charakter. So geht es auch mit anderen Empfindungen des Babys. Bei späteren ähnlichen Erlebnissen wird diese kleine Geschichte wieder in ihm lebendig werden.

Übrigens macht die Mutter dabei ganz ähnliche Erfahrungen wie das Kind. Sie lernt aus seiner Reaktion, das heißt, aus ihrem Erfolg und manchmal auch auch aus ihrem Misserfolg, ihre Intuition unbewusst immer besser einzusetzen. Es ist, als handelten Mama und Baby gemeinsam eine Gefühlssprache aus. Sie passen sich besser und besser einander an.

Blicke, die ins Herz gehen

Am Anfang kommunizieren wir über Gefühle, über Streicheln, In-den-Arm-Nehmen, über Emotionen transportierende Sprachmelodien. Analysen und Definitionen interessieren noch nicht. Die Kommunikation geschieht sozusagen absichtslos. Jedoch ist sie so sinnvoll wie alles »Kluge«, was wir uns später im Leben übermitteln. Ihr Sinn ist existentiell, Entwicklung vorantreibend, motivierend.

Die Gefühlssprache benutzen Mutter und Kind vom ersten Moment ihrer Begegnung an. Sie blicken sich dabei in die Augen. Es ist nicht so wichtig, dass das Kind dabei anfangs noch nicht so gut sieht, so, wie es nicht so wichtig ist, ob sich das Kind seines ersten Lächelns bewusst ist. Wichtig ist, was da hinüber- und herübergeht. Die Bedeutung dieses ersten Blickkontakts verstehen wir besser, wenn wir uns klarmachen, dass nur die Menschenmutter und ihr Neugeborenes zu diesem Verhalten fähig sind. Bei keinem Säugetier, nicht einmal den uns so nahe verwandten Schimpansen, konnte es beobachtet werden. Der Psychobiologe Hanus Papousek, »Entdecker« der weltweiten Übereinstimmung jenes merkwürdigen Sprachsingsangs von Müttern mir ihren Babys, der so genannten Ammensprache, weist mehrfach darauf hin.

Der menschliche Blick ist erste Sprache. Er übermittelt Gefühle. Diese Sprache geht ins Herz. Das bleibt unser Leben lang so. In wichtigen Momenten genügt ein Blick und sagt ein Blick mehr als alle Worte oder Gesten. In seinem Gedicht über den Panther im Käfig berührt Rainer Maria Rilke den Leser mit diesem Erlebnis: »Sein Blick ist vom Vorübergehn der Stäbe / so müd' geworden, dass er nichts mehr hält. / Ihm ist, als ob es tausend Stäbe gebe, / und hinter tausend Stäben keine Welt ... / Nur manchmal schiebt der Vorhang der Pupille / sich lautlos auf. – Dann geht ein Blick hinein, / geht durch der Glieder angespannte Stille – / und hört im Herzen auf zu sein.« Allein die Vorstellung, die der Dichter mit diesen Versen in uns weckt, geht wie ein solcher Blick direkt ins Herz. Wir können uns der Emotion nicht erwehren.

Das menschliche Baby, das so früh und unreif zur Welt kommt, braucht besondere Mittel, um seine Mutter zu motivieren, es am Leben zu erhalten. Am Leben erhalten heißt beim Menschen mehr als bei jedem anderen höheren Säugetier: liebevolle Geborgenheit ebenso wie Nahrung gleichzeitig mit Kommunikation geben.

Der erste Blick, den das Baby gleich nach der Geburt (wenn man Mutter und Kind einen ungestörten Kontakt erlaubt!) so intensiv in ihren senkt, löst augenblicklich starke Emotionen in ihr aus, die sowohl psychisch als auch körperlich sind. Die Mutter empfindet diesen Blick physisch bis in ihren Bauch hinein, und ihre Milchdrüsen reagieren hoch sensibel auf das Signal. So viel »Magie« wie in diesen ersten Augenblicken, Blicken gibt es später im Leben kaum jemals wieder zwischen zwei Menschen.

Jedes Mal, wenn die Mutter später ihr Baby stillt oder ihm das Fläschchen gibt, nähert sie ihm ihr Gesicht bis zu einem Abstand (zwischen 20 und 30 Zentimetern), der optimal ist für die kindliche Sehfähigkeit. Beide scheinen sich gegenseitig mit ihren Blicken zu halten. Sie kleben fast aneinander, wie von der Kraft eines Magneten angezogen. Das Baby hält die Mutter im Bann seines Zaubers. Sie muss es einfach so süß und unsagbar niedlich finden, dass sie ihre Augen kaum oder nicht abwenden kann. Die Mutter ihrerseits gibt dem Baby wirklich Halt mit ihrem Blick. In seinem liebevollen Widerspiegeln, das immer auch die mütterliche Interpretation enthält, bekommt alles Erlebte einen Sinn, eine verständliche »Form«. Und ebenso wichtig: Das Kind beginnt sich selbst als eine Person zu erleben. Noch ist da kein Bewusstsein von »selbst«. Aber trotz seines Noch-Einsseins mit der Mutter erfährt es, wie es ist, ein Gegenüber zu haben und – zu sein.

Was es bedeutet, wenn dieses gegenseitige Halten im Blick fehlt, habe ich einmal ganz zufällig erlebt. Auf einem Platz mitten in einer Stadt sah ich eine sehr junge Mutter, die auf einem Brunnenrand saß und eine Zigarette rauchte. Ihr drei Monate altes Baby lag im Kinderwagen und nuckelte interesselos ganz allein an seinem Fläschchen, das sie zwischen Kissen geklemmt hatte, so dass es aufrecht in seinem Mund steckte. Der Kinderwagen stand der Mutter abgewandt. Sie sah ihrem Kind nicht beim Trinken zu.

Ich weiß nicht, was mich mehr schockierte – die Tatsache, dass sie ihr Kind beim Füttern nicht im Arm hielt oder dass sie ihm keinen Blickkontakt ermöglichte.

Das Baby wirkte zu klein, es war blass und apathisch, ein Bild resignierten Alleinseins. Sogar die zerbrechlichen Frühgeborenen waren mir in ihrem zähen Überlebenskampf dagegen vital erschienen. Dieses Kind musste sein Fläschchen nicht zum ersten Mal in blickloser, kommunikationsloser Verlassenheit trinken.

Vergeblich versuchte ich, die junge Frau für ihr Kind zu begeistern. Im Gegensatz zu den meisten Müttern wollte sie sich von ihrem Baby nicht bezaubern lassen. Sie wollte nur wissen, wie lange es wohl dauern würde, dass sie sich ständig darum kümmern und morgens so früh aufstehen müsse. »Es ist so anstrengend, wenn er doch schon groß wäre. So habe ich mir mein Leben nicht vorgestellt.« Gewiss, sie war allenfalls 17 Jahre alt, und der Vater des Kindes, den sie nur gelegentlich sah, schien sich wenig für das Kind zu interessieren und auch für sie das Interesse verloren zu haben. Ich verstand, in dieser Situation konnte sie weder für den Zauber ihres Kindes empfänglich sein noch ihm den Halt geben, den sie selber so sehr vermisste.

Eine solche Verlassenheit hatte ich schon einmal in einem Waisenhaus in Sierra Leone, in Afrika, erlebt. Wenige Monate alte Babys lagen da den ganzen Tag unter einem Moskitonetz allein in ihren Bettchen, ihr einziger »Gefährte« ein Fläschchen. Sie schienen keinen Kontakt mehr mit dem Leben zu haben. Ihre Blicke gingen ins Leere. Wie für den gefangenen Panther gab es für sie keine Welt hinter den Gitterstäben. Die meisten lagen an diese Stäbe gepresst in einer Ecke ihres Bettchens, so als hätten sie verzweifelt nach einer Begrenzung, einem Halt gesucht. Als ich fragte, was aus ihnen würde, zuckte die Pflegerin mit den Achseln. »Wir haben keine Zeit für alle.« Die meisten, so erfuhr ich, starben noch vor dem Ende des ersten Lebensjahrs – nicht an Unterernährung. Da sie nichts erleben durften, nicht einmal ihre eigenen Empfindungen, denn die versiegten, weil niemand darauf reagierte, konnten sie auch nicht leben.

Solche seelischen Mangelsituationen, verbunden mit Wahrnehmungsdeprivation, Sprach- und Lieblosigkeit der Umwelt, haben Entwicklungspsychologen mehrfach am Beispiel der »wilden Kinder« dargestellt. Es handelt sich um Kinder, die in erschütternder Einsamkeit aufgewachsen sind, teilweise in der Wildnis unter Wölfen – man bezeichnete sie als Wolfskinder –, teilweise von ihren eigenen Eltern misshandelt. Alle waren dramatisch in ihrer körperlichen und seelischen Entwicklung zurückgeblieben. Sie konnten nicht aufrecht gehen, Sprache war ihnen »verloren gegangen«. Auch nach ihrer Rettung konnten sie meist nicht überleben.

Der Vorteil der intuitiven Kommunikation

Die erste Sprache mit Gefühlen ist also lebenswichtig. Sie bietet darüber hinaus jedoch Eltern und Kindern einen ungeheuren Vorteil miteinander: Sie ist sicher, unmissverständlich und – schnell.

Stellen wir uns vor, Eltern würden mit ihren Kindern alles über intellektuelle Gedankenprozesse und daraus gezogene Entscheidungen aushandeln. Es würde unendlich lange dauern, bis sie die emotionale und körperliche Verfassung des Babys begriffen hätten. Sie müssten so vieles dabei in Betracht ziehen, sich über jedes Detail Gedanken machen, um nichts außer Acht zu lassen. Dabei würden ganz wichtige Informationsbestandteile verloren gehen. Denn es handelt sich ja um außerordentlich komplexe, dauernd wechselnde Zustände. Die Eltern, die alles möglichst gut machen wollen, würden wahrscheinlich hin und her überlegen, welches Verhalten »richtig« und angemessen sei. Vor- und Nachteile dieser oder einer anderen Reaktion auf das Kind abwägen. Und eh sie zu irgendeinem Schluss gekommen wären, hätte sich die Situation schon wieder völlig gewandelt. Das Kind wäre nicht nur in die nächste, sondern sogar schon übernächste »Befindlichkeit« geglitten. Es wäre äußerst irritiert, weil die Eltern »einfach nichts mitkriegen«. Es würde in eine beunruhigende Verwirrung gestürzt. Es könnte so nicht mehr eine vertraute Mutter erleben, die mit Mimik und Stimme in einer *vorhersehbaren*, verständlichen Weise Dinge tut und antwortet. Denn ihre Verhaltensweisen passten überhaupt nicht zu denen des Babys. Der ganze Zauber des Intuitiv-Unbewussten wäre verschwunden. Und mit der Vertrautheit, Vorhersehbarkeit und Verständlichkeit der Mutter ginge für das Baby noch viel mehr verloren: die Sicherheit und Freude, die Motivation zum aktiven Erkunden, seine Neugier auf die Welt und die Lust, selber etwas mit seinen kleinen Handlungen zu bewirken, und schließlich – die Kommunikation. Dafür erlebte es nun Angst vor dem Unverständlichen und Misstrauen, es würde depressiv und passiv und zöge sich in kommunikationslose Isolierung zurück.

Wir können uns das nicht einmal vorstellen. Da würde einfach nichts klappen zwischen Mutter und Baby. Manchmal mag sich etwas Ähnliches abspielen, wenn Eltern durch zu viele widersprüchliche Ratschläge und Ratgeber verunsichert und verwirrt sind, oder wenn sie im Bemühen, alles hundertprozentig zu machen, zu intellekuell mit ihrem Baby umgehen. Der Kinderarzt Donald W. Winnicott, der wie kein zweiter Erfahrungen mit Müttern und Babys gesammelt hat, warnt Mütter vor solchem Bemühen, er schreibt, sie gerieten »bald durcheinander«, wenn ihnen gesagt wird, sie sollten dies oder das tun, »sie verlieren den Kontakt zu ihrer eigenen Fähigkeit zu handeln, ohne genau zu wissen, was richtig oder falsch ist. Allzu leicht fühlen sie sich inkompetent. Wenn sie erst alles in einem Buch nachschlagen ... sollen, handeln sie oft zu spät, sogar dann, wenn sie das Richtige tun, denn die richtigen Dinge müssen sofort getan werden.«[12]

Im Einklang handeln

In Wahrheit handeln Mütter und Babys fast ununterbrochen in einer Art Einklang, einer gewissen Übereinstimmung. Intellektuelle Erwägungen kämen da nicht nach und würden alles komplizieren.

Eltern passen sich intuitiv ständig der Befindlichkeit und dem Verhalten ihres wenige Wochen oder Monate alten Babys an. Intuitiv handeln heißt jedoch nicht ohne Information handeln. Die ausgetauschten Botschaften gelangen allerdings nur zum Teil ins Bewusstsein. Sie benutzen immer viele »Transportmittel« gleichzeitig. Beim Baby: anblicken oder Wegsehen, Haltung der Händchen, Bewegungen des ganzen Körpers, Mimik und Lautsprache mit Schreien oder Vokalisieren. Bei der Mutter entsprechend: Kopfhaltung voll zugewandt, auf- und abbewegt, Anblicken mit hochgezogenen Augenbrauen und bewegter, stark akzentuierter Mimik, Körpersprache mit Berühren, Streicheln, Hochnehmen, Zärtlich-in-den-Arm-Nehmen, Schaukeln, Drücken, Küssen und ebenfalls Laute, nämlich die melodische »Ammensprache«.

Während dieser gegenseitigen Anpassung ahmen Mütter das Verhalten, das heißt besonders die Mimik und Laute ihres Kindes, häufig nach. Die Nachahmung wirkt wie eine Belohnung und Ermunterung für das Baby. Es ist, als bekäme es im Blick der Mutter, ihrer Mimik und ihrer Sprache einen Spiegel vorgehalten, visuell und akustisch, in dem es sich selber in seinen Bemühungen erkennen kann. Es erfährt so, dass es Erfolg mit seinen Gefühlssignalen hat. Auch mit seinen Lautsignalen, die so früh schon erste Sprachversuche sind. Sogleich fühlt sich das Kind nun animiert, seine Botschaft noch einmal zu übermitteln. Aufmerksam schaut es in das Gesicht der Mutter und lauscht ihrer Stimme, um aus ihrem Gefühlsausdruck in Mimik und Sprache herauszufinden, ob es die gewünschte Reaktion hervorgerufen hat.

Das alles läuft, wie schon erwähnt, so schnell ab, dass es uns kaum oder gar nicht bewusst wird. Im Laufe eines Tages spielen sich solche Situationen hunderte von Malen ab. Dabei werden

Josefine, vier Monate, mit ihrer Mutter

einfache Befindlichkeiten ebenso wie Bedürfnisse, Lust auf etwas, ja sogar richtige Aufforderungen übermittelt. Bei wenige Tage alten Babys fluktuieren Zustände von wacher Aufmerksamkeit, Quengeligkeit, Unruhe und Schläfrigkeit manchmal in rascher Abfolge. Die Eltern müssen sie ebenso schnell erkennen und darauf reagieren können. Würden sie bewusst darüber nachdenken, wären sie bald völlig erschöpft. Sie würden zu dem Schluss kommen, dass sie der Aufgabe, mit einem Baby umzugehen, einfach nicht gewachsen sind und müssten die Waffen strecken. Tatsächlich passiert das manchmal wirklich, wenn ihre Intuition sie unter zu großen äußeren Belastungen verlässt. Dann klappt die direkte Gefühlssprache mit ihrem Baby nicht mehr.

Diese ist so fein den Bedürfnissen der beiden Partner angepasst, dass sie sich aus keinem Lehrbuch lernen ließe. Niemals könnten wir die auf die jeweilige Verfassung unseres Kindes genau abgestimmte Reaktion oder auch Aktion irgendwo »studieren«. Wir wissen und können es alles »von allein«, und zwar in jedem Moment (fast!) genau das Richtige.

Da beide Partner so viele Mittel einsetzen, um ihre Botschaften »rüberzubringen«, können sie sicher sein, dass einige davon ankommen und zusammen die richtige Information ergeben. Außerdem haben all diese eingesetzten Ausdrucksmittel den Vorteil, dass derjenige, der sie jeweils benutzt, nicht darüber nachdenken muss, denn die Natur hat sie ihm als genetisches, jederzeit ausbaufähiges »Programm« einfach mitgegeben. Und der andere, der sie empfängt, kann sie augenblicklich, ebenfalls ohne Nachdenken registrieren und in sein Handeln einbeziehen. Auch dies ist genetisches Programm.

Diese intuitive Kommunikation ist sozusagen die natürliche Grundausstattung von Eltern und Babys. Die Natur wollte nichts dem Zufall überlassen. Mütter und auch Babys können ja mehr oder weniger begabt sein, miteinander umzugehen, sich verständlich zu machen oder zu verstehen. Ihr biologisch »angeborenes« Basisprogramm sorgt jedoch dafür, dass – wenigstens anfangs – alles klappt. Beide Partner haben dann je nach ihrem Temperament und ihrer Begabung die Möglichkeit, dies unendlich vielfältig anzureichern. Und genau das geschieht auch fast unweigerlich in den nächsten Wochen. Das erste Programm fürs gegenseitige Verstehen ist jedenfalls ein Geschenk, für das man nichts tun muss – sozusagen die eiserne Ration fürs Überleben.

Ammensprache, Babytalk, was ist das?

Kannst du nicht vernünftig mit deinem Kind reden«, sagen indigniert manche, die selbst nie ein Baby gehabt haben, wenn sie ihrer Freundin mit ihrem drei Monate alten Knirps begegnen. Dann beugen sie sich über den Kinderwagen, ziehen freundlich die Augenbrauen hoch und sprechen die Kleine, die da aufgeregt interessiert zu ihnen aufschaut, in ganz ungewöhnlicher Tonart an: »Na, du *bist ja* eine Süße! Ja *schau* nur, *soo* eine Süße!«, begleitendes Nicken, »Ja, natürlich, das versteht sie.« Selbstverständlich versteht Klein-Laura. Denn die Sprache, die Mamas Freundin da ganz ohne es zu bemerken benutzt hat, ist die allen Babys vertraute, internationale Ammensprache. Sie zeichnet sich aus durch einen besonderen Singsang, hohe Tonlage, ein kleines, häufig wiederholtes Repertoire von besonders kontrastreichen Mustern und wird begleitet von einer ebenso kontrastreichen Mimik. Der Inhalt, den sie übermittelt – hier ein ermunternd lobender – liegt nicht in den einzelnen Worten, sondern in der Melodie. Baby Laura versteht: »Die ist nett, sie freut sich, wenn ich auf sie eingehe.« Und interessiert macht sie ihr »Grußgesicht« (auch dies eine internationale Gemeinsamkeit aller Menschen auf der Erde, die miteinander Kontakt aufnehmen) und zieht die Augenbrauen hoch und öffnet weit die Augen und den Mund. Sie rudert mit den Armen, ihre Anstrengung unterstützend, nun einen fröhlich gurrenden Laut hervorzubringen. Mamas Freundin ist über ihren Erfolg bei der Kleinen entzückt. Sie wiederholt verdoppelnd den Laut des Babys und fügt hinzu, »Ja *feiiin*, du willst schon *sprechen*, nicht wahr?« Dabei hebt sie zum Auftakt – zu »Ja« – den Kopf und senkt ihn zu »feiiin«. Das Gleiche – Kopfheben zu »du willst schon« und Kopfsenken zu »sprechen«. Und ein drittes

Mal Heben und Senken, diesmal mehr ein Nicken zu »nicht wahr?«.

Wir alle kennen und können das und machen es ebenso. Ja sogar schon Zwölfjährige wandeln intuitiv ihre Sprache in »Ammensprache« um, wenn sie ein kleines Baby vor sich haben. Wo haben sie das gelernt? Gar nicht. Auch hier wieder handelt es sich um ein genetisches Programm, ein biologisches Erbe, erklären uns die Psychobiologen Hanus und Mechthild Papousek. Es befähigt uns, in dem Moment, wo wir uns über einen Kinderwagen beugen, ohne nachzudenken den richtigen Tonfall zu wählen, die richtige Sprache: »Na, was macht er denn, der Kleine? Guck mal! Ei, so fein! – Ach je, was ist denn, na, na, du weinst ja. Na, na, du hast es aber schwer, jaaa.« Das Ganze dargeboten in einem charakteristischen Auf und Ab unserer Stimme.

Die einfachen melodischen Sprachfiguren werden von den Eltern oder anderen Erwachsenen im Kontakt mit dem Baby unermüdlich benutzt, manchmal wird so ein kleines Melodienrepertoire bis zu vierzig Mal in drei Minuten wiederholt. Kein Wunder, dass es »Babyfremden« reichlich exotisch erscheint. Aber das Baby wird so schon in den ersten Monaten zum Nachahmen angeregt und lernt auch allmählich, die Sprachmelodien mit bestimmten Inhalten – tröstenden, aufmunternden oder warnenden – in Verbindnung zu bringen. Erstes Sprachverständnis entsteht.

Immer wieder entrüsten sich viele, wie die in unserem Beispiel erwähnte Frau, die ihrer Freudin mit dem Baby begegnet, über die von Eltern intuitiv benutzte »Babysprache«. Sie fordern, man müsse mit einem Baby von Anfang an schon wie mit einem Erwachsenen reden, damit das Kind eine »vernünftige« Sprache lernt. Solche Ansichten beruhen auf einem gewaltigen

Missverständnis. Denn ebenso, wie das in den vorigen Kapiteln geschilderte intuitive Eingehen der Eltern auf das Baby mit all der nachahmenden Ermunterung und übertreibenden Akzentuierung als eine durchaus »didaktische« Verhaltensanpassung verstanden werden muss, ist die so genannte Ammensprache eine Anpassung an das Baby. Eine Anpassung, wie man sie sich feiner, ausgeklügelter und raffinierter gar nicht ausdenken könnte. Sie ist nicht nur die für alle Babys angemessene Sprache, sie trägt auch den individuellen Eigenheiten jedes Kindes Rechnung – seinen Vorlieben für bestimmte Laute oder Mimiken, seinen Stimmungen, dem Entwicklungsstand seiner Ausdrucksfähigkeit, seinen Wiederholungswünschen und -bedürfnissen, seiner angeborenen Aktivität oder Passivität.

Denn die Kritiker vergessen eins: »Vernünftig« reden wie Erwachsene untereinander ist für Babys keineswegs vernünftig. In ihrer Wahrnehmungs- und Gefühlswelt, vielleicht dürfen wir sie auch schon Erkenntniswelt nennen, macht diese Sprache keinen Sinn. Was aber hätte »vernünftig sprechen« anderes zum Ziel als sinnvoll sprechen, in Botschaften, die für den anderen Sinn machen. Stellen wir uns einmal vor, die eingangs erwähnte Frau hätte sich über den Kinderwagen gebeugt und mit höflicher, wohlerzogen diskreter Mimik zu der kleinen Laura gesagt: »Ich finde, du siehst wirklich blendend aus. Du bist außerordentlich attraktiv!« Laura hätte bestenfalls verständnislos in dies langweilige Gesicht gestarrt, fragend die Mama angesehen oder sich gleich den viel interessanteren Blümchen in ihrer Kinderwagenauskleidung zugewandt. Das A und O unseres kommunikativen Umgangs mit Babys und Kindern überhaupt ist, dass unsere Botschaften in einem für die Kleinen verständlichen *Sinnzusammenhang* gebracht werden.

Bei Babys als »Gesprächspartnern« benutzen wir fast immer

Gefühlsbotschaften, auch wenn die Mutter nur auf ein draußen pickendes Vögelchen aufmerksam machen will. Sie tut das intuitiv in einer Weise, dass ihre Worte – »Schau mal! Ein Vögelchen!« – für das Kind ein emotionales Erlebnis werden. Das Baby schaut hinaus und schaut wieder in ihr Gesicht. Ihre ermunternde und fröhlich demonstrative Mimik und die mehrfach wiederholten Botschaftsmelodien verraten, dass da etwas ist, über das man sich freuen kann, das sich interessant bewegt. »Ein Vögelchen, ja, schau mal, es macht pick, pick. Pick, pick.« Als das Kind lächelt, gibt ihm die Mutter glücklich einen Kuss auf die Wange. Das Kind wird auf dieses Erlebnis mit der Mutter, dem Vögelchen, dem hellen Klang der Worte, dem Kuss später zurückgreifen können. Nichts davon wird verloren gehen, denn alles hat hier im Zusammenhang einen Sinn gemacht. In seinem Gefühl.

Das Forscherehepaar Papousek ist auf der ganzen Welt herumgereist und hat die lautlich-sprachlichen Dialoge von Müttern mit Babys immer wieder aufgezeichnet. Dabei ergeben sich Melodienbilder, die wie eine Partitur aussehen. Und wie in einer klassischen Sonate oder Sinfonie wiederholen sich bestimmte Motive stets aufs Neue, hier und da leicht abgewandelt. Mal ist es das eine Instrument – die Mutter –, das ein musikalisches Thema vorgibt, und das andere Instrument – das Kind – greift es auf und moduliert es oder antwortet wie ein leicht anders getöntes Echo darauf. Mal ist es umgekehrt: Dann übernimmt das Kind den Part des führenden Instrumentes und die Mutter den des zweiten.

Mechthild Papousek erläutert: »Das Vertrautwerden mit den melodischen Konturen gewinnt dadurch an Bedeutung, dass das Kind dabei gleichzeitig elementare Botschaften ... kennen lernt, lange bevor es Sprache versteht. So finden sich ... ansteigende

Konturen in hoher Stimmlage, wenn die Eltern zum Vokalisieren oder zu anderen Formen aktiver Teilnahme am Dialog anregen wollen, aufsteigend-abfallende Konturen, wenn besonders geglückte Laute oder ein Lächeln freudig begrüßt und gelobt werden, abfallende Konturen mit langsamem Tempo und dunkler Stimme, wenn ein verdrießliches oder schreiendes Kind getröstet wird.«

Mit diesem ersten sprachlichen oder melodisch-lautlichen Austausch werden ebenso wie mit all den bereits oben geschilderten Verhaltensweisen vor allem Gefühle transportiert. Wie in Gestik und Mimik teilt das Kind der Mutter auch mit seinen Lauten mit, was es fühlt. Die Mutter ebenso.

Im Grunde sind alle Botschaften, egal welcher Art, zwischen Mutter und Kind auch Gefühlsbotschaften. Gerade das Ineinandergreifen von Aufforderungen, Informationen, Warnungen, Tröstungen und begleitenden Gefühlen macht die Botschaften für beide Partner so gut verständlich und motiviert sie stets aufs Neue.

Übrigens haben Untersuchungen erwiesen, dass die stark gefühlsbetonte Ammensprache mit ihren charakteristischen »Melodien« nicht nur bei Babys, sondern auch bei Erwachsenen mehr Aufmerksamkeit erweckt als »normale« Sprache. Und noch erstaunlicher: Sie können sie besser verstehen, das heißt, sie können die darin ausgedrückten Gefühle und Absichten besser heraushören. In einem Laborversuch spielte man einer Reihe von Studenten oder Eltern Sprachvergleiche vor, aus denen der Inhalt herausgefiltert war, so dass nur noch die Intonation, die Melodie übrig blieb. Ein Beispiel war Erwachsenensprache, das andere Ammensprache. Übereinstimmend konnten die Zuhörer die Botschaftsabsicht in der Ammensprache besser und genauer heraushören als in der Erwachsenensprache. Die an Babys gerichteten melodischen Figuren waren weitaus informativer als die den Erwachsenen geltenden.

Das ist sicher auch der Grund, warum wir uns bei Tieren der internationalen Ammensprache bedienen. Wir können ziemlich sicher sein, von ihnen verstanden zu werden, auch wenn ihre Herrchen oder Frauchen uns glauben machen wollen, sie »sprächen« jeweils nur deutsch oder französisch. Aus meiner eigenen Erfahrung kann ich versichern, dass alle französischen Haustiere mich perfekt verstehen, wenn ich mit ihnen deutschen »Babytalk« rede. Und mein Kater Tommy, der ständig beide Sprachen hört, ist nicht etwa »bilingue« (zweisprachig), wie mir meine südfranzösischen Nachbarn anerkennend versichern. Er versteht einfach *alles* – wenn es ihm in Ammensprache dargeboten wird. Und antwortet mit international verstandenem Schnurren – auch eine »Babysprache« bei allen großen und kleinen Katzenarten. Nur leider können wir sie nicht nachahmen.

Jedes Mal, wenn Mütter mit ihrem Baby dialogisieren, geschieht dabei aber auch eine Vorwärtsbewegung in der Entwicklung, denn bei jedem Versuch, den das Kind macht, sich auszudrücken oder mit Lauten zu spielen, erfährt es in der Reaktion und aufforderungsartig abgewandelten Wiederholung der Mutter, was es ihr eigentlich mitgeteilt hat. Am Anfang weiß es das ja sicher noch gar nicht. Es lernt also nicht nur, was die Sprachmelodien der Mutter bedeuten. Es lernt auch besser zu verstehen, was es da selber eben ausgedrückt hat.

Letztlich bekommen so seine Gefühle mehr »Kontur«. Es erfährt sich selber immer besser – bis da nach und nach unmerklich sein »Selbst« Formen annimmt und für sich selber erfahrbar wird. Ein Aspekt, der häufig, wenn es um das »Lernen« im weitesten Sinn geht, vernachlässigt wird.

Auf ein ausgewogenes Mittelmaß kommt es an

Eltern machen instinktiv fast alles richtig. Alles, was wir hier an vielfältigen Formen des Gefühlsaustauschs geschildert haben. Sie passen sich den individuellen Bedürfnissen des Kindes erstaunlich gut an. Sie sind mal aktiver, mal passiver im Umgang mit ihren Kindern.

Genaue und häufige Beobachtung der tausend kleinen Beziehungssituationen zwischen Mutter und Kind, beim Spielen, Dialogisieren, Füttern, Baden ergeben, dass die Babys am besten, aufmerksamsten reagieren und sich offenbar auch am wohlsten fühlen, wenn die Mütter das für sie richtige Mittelmaß finden. Wenn sie also nicht zu viel anregen und auffordern, das heißt, nicht zu viel stimulieren, aber auch nicht zu wenig. Alles, was zu viel oder zu wenig ist, bewirkt, dass das Kind uninteressiert »aussteigt« oder sich sogar abwendet. Wissenschaftler haben das Verhalten der Mütter drei Kategorien zugeordnet: Sie beschreiben es entweder als »hyperaktiv«, als »hypoaktiv« oder als »moderat«, das heißt »im Mittelmaß«.

Wie wichtig diese letzte Fähigkeit, »moderat« zu spielen, zu plappern, anzuregen und zu ermuntern ist, zeigt sich an den Beispielen, wo das nicht klappt.

In einigen besonderen Situationen sind Eltern offenbar nicht so gut in der Lage, feinfühlig auf ihre Kinder einzugehen. Zum Beispiel, und das haben Wissenschaftler mehrfach beobachtet, wenn die Kinder entweder an einer Entwicklungsstörung leiden oder frühgeboren sind oder wenn die Mütter ihrerseits einer besonders benachteiligten sozialen Schicht angehören oder noch Teenager sind.

Die Mütter mit den entwicklungsverzögerten oder -gestörten

Kindern sind häufig hyper-(über-)aktiv. Sie scheinen sich zu bemühen, das Defizit ihrer Kinder, die häufig passiv wirken, ausgleichen zu wollen. Zum Beispiel versuchten die von den Psychologen beobachteten Mütter von Frühgeborenen häufig, die Kleinen beim Trinken zu stimulieren. Normalerweise dialogisieren oder »spielen« Mütter mit ihren Babys in den Trinkpausen, wenn das Kind nicht mit Saugen und Schlucken beschäftigt ist. Diese besorgten Frauen jedoch wollten ihre vergleichsweise extrem zarten, kleinen »Frühchen« einfach immer zu irgendetwas anregen. Es ist traurig, aber sie erreichten mit all ihren ein wenig oder stark übertriebenen Bemühungen genau das Gegenteil von dem, was sie sich wünschten. Die Babys wandten sich uninteressiert ab oder blieben einfach reaktionslos.

Ganz anders die besonders jungen oder einer sozial benachteiligten Schicht angehörenden Mütter: Sie waren häufig hypo-(zu wenig)aktiv mit ihren Kindern. Sie versuchten selten, die Kleinen zu Dialogen oder zu Spielen anzuregen und gingen auch wenig auf die Appelle der Babys ein. Man könnte meinen, das den anderen Müttern entgegengesetzte Verhalten hätte auch entgegengesetztes Verhalten bei den Kindern zur Folge, nämlich besondere Aktivität oder Munterkeit. Weit gefehlt. Die passive Art dieser Mütter im Umgang mit ihren Babys erzeugte genau das gleiche Verhalten wie bei den überaktiven Müttern: Die Babys blieben reaktionslos.

Am meisten Erfolg haben nach einer Studie der Amerikanerin Tiffany Martini Field Mütter, die in einer gewissen Mittellage bleiben, die weder zu viel des »Guten« noch zu wenig tun.[13] Diese Mütter verhalten sich in der Regel besonders fein abgestimmt auf ihr Kind. Sie erkennen sofort, wenn das »Maß« ihres Verhaltens nicht stimmt. Intuitiv verändern sie je nach der Reaktion des Babys ihre Sprech- und Spielweise, ihre Zärtlichkeiten und Aufforderungen. Je mehr sie sich in der Skala zwischen »wenig«, »mittel« und »viel« Aktion machen in der Nähe von »mittel« bewegen, desto aufmerksamer und interessierter sind ihre Kinder.

Das zeigt sich zum Beispiel an der Art, wie sie schauen. Wenn ihre Mütter besonders viel auf sie einreden, schauen die Babys sie kaum an. Ebenso, wenn sie wenig mit ihnen sprechen. Lange und aufmerksam schauen die Babys jedoch, wenn Mama ruhig und unaufgeregt, das heißt im Mittelmaß, mit ihnen spricht. Langes Hinsehen und Anblicken ist bei sehr jungen Babys in den ersten Wochen ein untrügliches Zeichen für Aufmerksamkeit, Neugier und Interesse.

Müssen sich Eltern nun dauernd Sorgen machen, ob sie auch immer angemessen, das heißt im richtigen Maß mit ihrem Baby umgehen? Keineswegs. Denn meist tun sie das ganz »von selbst« – wie die im Beispiel erwähnte junge Mutter mit ihrem Neugeborenen am Wickeltisch in der Szene, in der der Vater hinzukommt. Sie legt intuitiv eine andere Gangart ein, als sie fühlt, dass ihr Baby nun überfordert ist. Sie hat das mehr gespürt als wirklich nachdenkend beobachtet. Sie weiß es einfach im richtigen Augenblick.

Wenn bei Eltern gelegentlich diese Intuition versagt, dann haben sie meist besondere Sorgen mit ihrem Kind, haben selber gerade außergewöhnliche Schwierigkeiten zu bewältigen oder sie sind sehr allein gelassen in ihrer tag- und nachtfüllenden Aufgabe, mit einem neugeborenen oder wenige Monate alten Baby umzugehen. Wir könnten sagen: Die Welt, in der sie leben, stimmt dann nicht mehr. Darum vermögen sie sich nicht, wie sie es in einer anderen Lebenssituation sehr wohl könnten, ausreichend auf ihr Kind einzustellen. Sie verfallen vielleicht in zu hektische Fürsorge oder in resignierte Passivität. Das Kind kann sich ihrer Gefühlswelt nicht anpassen. Das Verhalten der Mutter macht dann keinen Sinn für das Baby. Das heißt, beide begegnen sich nicht in ihren Gefühlen.

Solchen Müttern, auch denen, die nur vorübergehend überfordert sind, empfiehlt die amerikanische Psychologin einfache kleine Hilfsmittel, die sie selber mit ihnen erfolgreich ausprobiert hat. Alle Mütter kennen Kinderlieder und -verse wie »Steigt ein Männlein auf den Baum«, »Zehn kleine Zappelfinger«, »Himpelchen und Pimpelchen«, »Backe, backe Kuchen« und »Hast'n Taler, geh auf den Markt«. Tiffany Martini Field empfiehlt ihnen, davon reichlich Gebrauch zu machen. Sie scheinen den aus dem Tritt geratenen Müttern den richtigen Takt anzugeben. Außerdem entsprechen sie meist gut der Zeitspanne, in der das Baby aufmerksam sein kann. Alle diese Liedchen und Verschen haben genau den für Babys richtigen Rhythmus. Man braucht nur zuzuschauen, wenn die Mütter mit ihnen singen. Dann sind die Kinder plötzlich ganz aufmerksam und interessiert, genauso, wie sich ihre Mamas es wünschen. Erhöht wird der Erfolg noch dadurch, dass Fingerspiele, Schaukeln, Streicheln und Mimik diese Liedchen begleiten.

Ebenso forderte Tiffany Martini Field die Mütter auf, ihre Babys zu imitieren. Dieses Nachahmen verminderte ihre Überaktivität, und die Babys wurden aufmerksamer. Sie bat die Mütter auch, ihre kleinen an die Kinder gerichteten Sätze mehrfach zu wiederholen und still zu bleiben, wenn das Kind unaufmerksam wurde. Sie sollten auch lernen, im Dialog und im Spiel mit ihren Kindern abzuwechseln. Mal soll der eine, mal der andere an der Reihe sein – nicht immer die Mutter! Bei diesen »Übungen« wurden die Mütter ebenfalls ausgeglichener in ihrem Verhalten und die Babys zeigten sich interessierter. Wenn die Babys tranken, empfahl die Psychologin der Mutter, sich still zu verhalten. Das Baby blickte sie dann mehr an.

Der Effekt aller dieser kleinen »Tricks« war für die Mütter wohltuend. Sie wurden ruhiger, was sich an ihrem Herzrhythmus und ihrem Blutdruck nachweisen ließ. Und sie hatten plötzlich Erfolgserlebnisse mit ihren Babys, die ihnen vorher versagt blieben.

Wir alle kennen übrigens eine Situation, in der sich ganz deutlich zeigt, wie Überstimulation zu einem negativen Ergebnis führt. Das ist die Situation, in der ein Baby lacht. Wenn wir, davon angespornt, mitlachen und den Spaß weitertreiben, zu weit treiben, lacht das Baby noch einen Moment. Dann schlägt sein Lachen ganz plötzlich in Weinen um. Die Erregung war mehr, als es verkraften konnte.

Mütter und Babys – zwei verschiedene Temperamente

Wir haben bis jetzt immer von den Gefühlen der Babys gesprochen. Welche Gefühle jedoch haben die Mütter? Gehen wir davon aus, dass sie ihre Kinder lieben. Empfinden sie dann für jedes das Gleiche? Wir alle wissen aus Erfahrung, dass das nicht stimmt. Mütter und Väter erleben ihre Söhne und Töchter manchmal ziemlich unterschiedlich. Nicht nur, weil sie Mädchen oder Jungen sind, sondern auch, weil ihre Temperamente unterschiedlich sind und darum auch in unterschiedlicher Weise mit ihren eigenen Temperamenten übereinstimmen oder zuweilen aufeinander prallen.

Die oft temperamentsbedingten Erwartungen einer Mutter an ihr Kind, dass es ruhig und »brav« oder aktiv und quirlig, kühn unternehmend oder aber still distanziert sein sollte, erfüllen sich zwar ziemlich häufig wegen der genetischen Übereinstimmung von Mutter und Baby. Wenn das Kind aber mehr das Aussehen, die Intelligenz oder Kraft von ihr geerbt hat, hat es vielleicht andererseits weniger Merkmale ihres Temperaments mitbekommen. Dann mag zwar in einigen Fällen der Mutter gerade das Entgegengesetzte im Charakter ihres Kindes gefallen. Trotzdem ergeben sich dabei meist gewisse »Missmatches«, ungünstige Kombinationen.

Da gab es keinen Zweifel, mit Klein-Sara war es schwer auszukommen. Die Dinge wurden noch kompliziert dadurch, dass Saras Mutter sich fragte, ob sie selber nicht eine Rolle dabei gespielt hatte, dass ihre Tochter so schwierig war. »Fast vom Augenblick ihrer Geburt an verstanden wir, dass wir wirklich gefordert wurden!« schrieb Saras Mutter über ihre heute neunjährige Tochter. »Sie war anspruchsvoll, brauchte wenig Schlaf und wollte immer Aufmerksamkeit. Sogar der Kinderarzt fand sie schon mit neun Monaten ziemlich ›theatralisch‹. Sie hatte häufig Durchfall und war soo widerspenstig, wenn ich sie umziehen musste ... Mit all dem konnte ich kaum umgehen. Ihr Wesen treibt mich (heute noch) manchmal zum Wahnsinn. Das schlimmste dabei war, dass ich mich lange sehr schuldig gefühlt habe – was hatte ich nur getan, damit sie so wurde?«

All das, berichtet die Frau, wurde anders, als ihr zweites Kind, Donald, geboren wurde. Immer noch war sie mehr oder weniger die gleiche Mutter wie mit Sara – vielleicht inzwischen ein wenig erfahrener und weiser. Wie durch ein Wunder hatte Donald jedoch keins der Probleme seiner älteren Schwester. »Es war unglaublich. Er war ganz anders! Als er geboren wurde, gab er nur einige kleine Laute von sich. Er passte sofort in die Familie. Er wurde von allen vergöttert, einschließlich seiner Schwester.

In seinem Temperament war er für uns ein reines Vergnügen, ein Segen. Er hat mir gezeigt, dass meine Tochter schwierig ist wegen ihrer persönlichen Art, ihres Temperaments, und dass nicht ein Charakterfehler oder etwas, was ich getan habe oder tue, daran schuld ist. Das hat mir geholfen, dass ich uns beide besser akzeptieren kann: meine Tochter und mich selber. Ich hatte immer gehört, dass Kinder mit ihrer eigenen Persönlichkeit geboren würden, aber wahrscheinlich habe ich es nicht geglaubt, bis ich es selber erlebte.«[14]

Was diese Mutter so eindringlich schildert, zeigt, dass Babys schon von Anfang an in ganz unterschiedlicher Weise an alles »herangehen«, Psychologen sagen, ihre »Orientierungsfähigkeit« ist verschieden, ihre Wahrnehmungen sind verschieden, und ihre Gefühle und damit ihr Erleben sind verschieden. Die Babys drücken dieses für sie ganz besondere Erleben jeweils in ihrer Weise aus und – haben damit einen bedeutenden Einfluss auf ihre Eltern. In gewisser Weise steuern sie das Verhalten ihrer Mütter. Meistens kommt es dann zu diesem von uns mehrfach geschilderten, fein aufeinander abgestimmten Gefühls-, Verhaltens- und Wortdialog zwischen beiden. Manchmal jedoch bringen die Babys wie Klein-Sara allein durch ihr Anderssein ihre Mütter regelrecht aus dem Gleichgewicht. Sie fühlen dann nicht mehr wie sonst und teilen dem Kind unbewusst ihre veränderten Gefühle mit.

Das Kind seinerseits fühlt, dass etwas nicht stimmt, egal wie jung es noch ist, wenige Tage oder Monate alt. Es spürt, dass die Feinabstimmung mit der Mutter nicht klappt, dass es nie ihren Erwartungen entspricht. Die Schwierigkeiten verstärken sich. Glücklicherweise passt meist bei einem Elternteil das Temperament besser mit dem des Babys zusammen, so dass die Probleme gemildert werden.

In ihrem *Motherhood Report* kommen die amerikanischen Psychiater Louis Genevie und Eva Margolies zu dem Schluss, dass ein positiver, in beide Richtungen gehender Prozess dann beginnt, wenn sich zeigt, dass das Baby mit den Erwartungen der Eltern übereinstimmt: »Je einfacher (pleasing) das Baby ist, desto positiver nimmt es die Mutter wahr und desto positiver reagiert sie.«

Umgekehrt rufe ein Baby, dessen Temperament als negativ empfunden wird, auch mehr negative Reaktionen bei der Mutter hervor, wodurch die Beziehung von Anfang an belastet werde.

Jedoch gelingt es Eltern auch, schwierige Kinder zu einem besser angepassten Verhalten hinzuführen – mit Beharrlichkeit bzw. Konsequenz, Liebe und Geduld. Wenn die Eltern das durchhalten, zum Beispiel einem Kind, das leicht ausflippt, nicht nachgeben und ihm zeigen, dass sie es trotzdem lieben, dann stellt sich oft heraus, dass das Kind ein fröhliches, zärtliches, aktives Temperament hat und obendrein klug ist.[15]

Es lohnt sich allemal, nicht zu resignieren und sich und dem Kind eine Chance zu geben – vielleicht in kleinen Verhaltens- und Rhythmusänderungen, wie wir sie in dem vorangegangenen Kapitel beschrieben haben. Möglicherweise entdecken wir dann, dass weder das Temperament noch die damit verbundenen Gefühlsäußerungen eines Babys so unverständlich sind. Manchmal hilft es vielleicht auch, sich zu sagen, dass eine andere Mutter dieses besondere Kind vielleicht ganz anders erleben würde. Ich kann mir vorstellen, dass manch eine Frau aufgrund ihrer eigenen Charakterzüge entzückt wäre, eine Tochter mit den Eigenschaften von Klein-Sara zu haben.

So wie Tiffany Martini Field Eltern empfiehlt, ihre Babys in den kleinen Interaktionen in ihrer Mimik und ihren Lauten

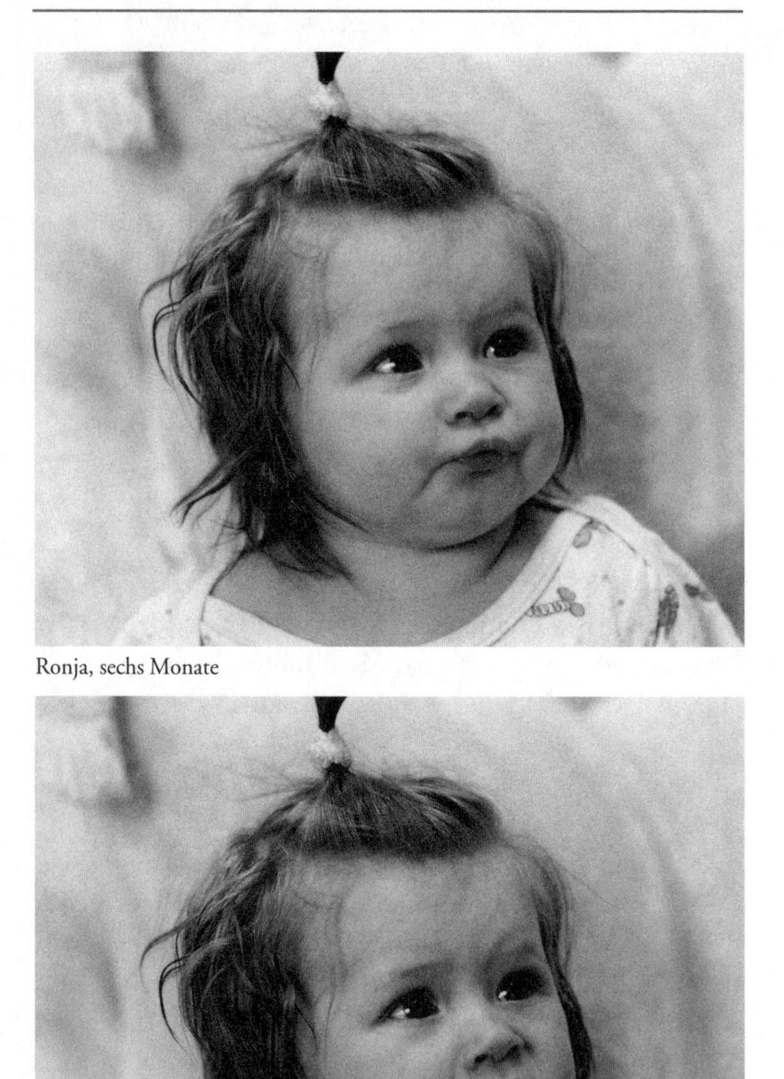

Ronja, sechs Monate

nachzuahmen, hilft es uns und dem Baby, das anders ist als wir, wenn wir versuchen, uns öfter an seine Stelle zu versetzen. Viele Erziehungsunsinnigkeiten könnten vermieden werden, wenn wir das öfter versuchten.

Die Sinne – Antennen für Empfindungen

Neugeborene verfügen über ein globales Wahrnehmungserleben

Jetzt wird es höchste Zeit, dass wir uns den Wahrnehmungen zuwenden. Das, was seine Sinne dem Baby und sogar schon dem Fötus zuspielen, ist schließlich die Basis für seine Empfindungen, seine körperlichen und seelischen.

Wenn wir gelegentlich unsere meist fast schlafwandlerisch sichere elterliche oder überhaupt unsere Intuition beiseite lassen und nachdenkend, intellektuell versuchen zu begreifen, was das Neugeborene wohl erlebt, dann wird es viel schwieriger. Wir sind plötzlich gezwungen, uns etwas Unvorstellbares vorzustellen: Nämlich, wie es ist, ohne eine ganze lange Geschichte von vielfältigsten Erfahrungen zu leben, die in alle unsere momentanen Empfindungen einfließen.

Wir verstehen manches vielleicht besser, wenn wir die Erklärungen der neuesten Forschung zu Hilfe nehmen. Sehen wir uns zuerst an, was das Baby durch seine Sinne erfährt und erlebt.

Wissenschaftler und Philosophen zerbrechen sich seit Jahrzehnten, ja sogar Jahrhunderten den Kopf darüber, was und wie das eben zur Welt gekommene Kind die Welt wahrnimmt und erlebt. Wird es als Tabula rasa geboren? Das glaubten viele noch bis in die Mitte dieses Jahrhunderts. Wir haben bereits vielfach gezeigt, das dies nicht stimmt, dass das Baby gut vorbereitet und gut ausgestattet auf die Welt kommt.

Der Schweizer Entwicklungspsychologe Jean Piaget fand, es gebe zwar genug Gründe zu denken, das Kind nehme eine ganze Menge wahr, aber seine Sinne übermittelten ihm doch anfangs noch ein ziemliches Chaos. Es sei, wenn es auf die Welt kommt, zu vielen »separaten« Wahrnehmungen fähig. Es fühle, höre, rieche und sehe zwar, füge diese Sinneserfahrungen jedoch nicht zu einem Ganzen zusammen. Erst wenn sie sich nach und nach verfeinerten, differenzierten und später in immer neu geübte, ausprobierte und überprüfte Handlungsschemata einflössen, beginne es nach und nach, seine sensorischen Erfahrungen zu »integrieren«, das heißt, ganzheitlich, Sinn machend zu erleben.[16]

Aber: Wie könnte das eben zur Welt gekommene Baby erkennen, was »Mama« ist, wenn seine Sinne ihm ein Chaos übermittelten? Müssen sie ihm dazu nicht bereits im Einklang, in einer Art Zusammenspiel – und nichts anderes heißt »Integration« – geordnete Informationen übermitteln? Seine Augen allein könnten das nicht, denn sie sehen bei seiner Ankunft draußen zunächst ziemlich schlecht. Es vermag jedoch anhand einer Vielzahl von Informationen – wie die Mutter sich bewegt, wie ihre Stimme klingt, wie sie riecht, wie sie atmet, wie sie ihr Kind anfasst und in den Arm nimmt, wie ihre Haare das Gesicht umranden – herauszufinden, was ganz eindeutig seine Mutter ist. Das ist wichtig für seine weitere Entwicklung, denn seine

Umwelt besteht in den ersten Lebensstunden und -tagen vorwiegend aus »Mama«. Das Baby hat also mehrere Sinne gemeinsam eingesetzt: sehen, hören, fühlen, Bewegungen empfinden (dabei hilft ihm der Gleichgewichtssinn) und riechen. Und wichtiger noch, alle diese Wahrnehmungen zusammen haben einen Sinn ergeben. Wie lässt sich das vereinbaren mit der Annahme, das Neugeborene erlebe die Welt chaotisch?

Man hat darüber viel spekuliert und alle möglichen Vermutungen und Theorien aufgestellt, von denen sich einige noch heute hartnäckig halten. Das ist gar nicht so verwunderlich, denn wir können die Neugeborenen ja nicht so einfach fragen.

Dass Wissenschaftler doch versucht haben, Antworten aus ihnen herauszuholen, indem sie sich tausend Tricks ausgedacht haben, zum Beispiel den mit dem Sauger, der einen Schalter betätigt, haben wir eingangs an den Höruntersuchungen mit der Mutterstimme und verschiedenen Sprachbeispielen demonstriert.

Bei anderen Aufgaben, die eine vorherrschend visuelle Komponente haben, konzentrieren sich die Forscher auf den Blick des Kindes. Hier bekommen sie Antwort auf Interesse, Aufmerksamkeit, Unterscheidungsfähigkeit. Der Blick des Babys sagt ihnen aber auch, welchen affektiven Wert eine »Sache« für es hat, wie viel Spaß sie macht, welcher Stellenwert einem Erfolg zukommt. Es kommt darauf an, wie lange ein Kind hinsieht. »Kurz« kann heißen: »Interessiert mich nicht«, »Macht für mich keinen Sinn«, »Langweilt mich«, »Macht keinen Spaß«, »Ich bemerke keinen Unterschied« oder auch: »Das schaffe ich sowieso nicht«. »Lang« dagegen mag bedeuten: »Wie aufregend«, »Toll«, »Moment mal, das war doch eben ganz anders«, »Das macht mich neugierig«, »Das verstehe ich« oder »Wie schön!«. Eine Zusatzinformation bekommt der Beobachter durch die

Paul,
ein Jahr

Messung des Herzrhythmus: Seine Verlangsamung deutet auf hohe Aufmerksamkeit hin.

All diese Auskünfte des Babys werden noch genauer und nuancierter, bezieht man seine Körpersprache und vor allem die Mimik mit ein.

Die Forschung hat aufgrund solcher Beobachtungen des Babys in den ersten Lebensmonaten mit anderen Theorien der Entwicklung der kindlichen Wahrnehmung die von Piaget vertretenen Vorstellungen ergänzt und zum Teil über den Haufen geworfen.

Inzwischen liegt ein neues, geradezu revolutionäres Modell der kindlichen Wahrnehmungsfähigkeit und -entwicklung vor. Es basiert auf den letzten Forschungsergebnissen. Vertreten wird es vor allem von dem jetzt in Genf tätigen amerikanischen Kinderarzt und Entwicklungspezialisten Daniel Stern sowie seinem Kollegen David Lewkowicz (New York State Institute for Basic Research in Developmental Disabilities/Department of Infant Development), der reihenweise Neugeborene und Babys in den ersten Lebensmonaten untersuchte. Die beiden Spezialisten zeigen anhand ihrer Beobachtungen, dass Neugeborene, anders als Piaget annahm, bereits ein *globales*, also *alle* Sinne einschließendes Wahrnehmungserlebnis haben – gewiss auf einem anderen Niveau als größere Kinder oder Erwachsene, aber ihrer Wahrnehmungsfähigkeit nicht ganz unähnlich.

Die weitere Entwicklung lässt Differenzierungs- und Integrationsvorgänge miteinander einhergehen. Das heißt, die einzelnen Sinneserfahrungen und Sinnesfunktionen verfeinern sich, bilden sich genauer aus, und gleichzeitig werden sie dabei immer in das Gesamterlebnis aller Wahrnehmungen aufgenommen. So bekommen alle von uns so erfreut begrüßten »Fortschritte« des

Babys ihren Sinn. Wenn der Gleichgewichtssinn, das Sehen, die Empfindungen aus den eigenen Muskeln und Gelenken, der Tastsinn nach und nach mehr »können«, sind all diese Wahrnehmungen immer wieder im Zusammenspiel erprobt worden, so dass unser Kind eines Tages plötzlich, oh Wunder, uns auf seinen eigenen Füßchen entgegenstolpert, so dass es auf einmal das Töpfchen sinnvoll benutzen kann oder beim Geräusch der Wohnungstür aufgeregt »Papa« sagt. Alles »Leistungen«, die ihm seine vielfältigen Wahrnehmungs-, und das heißt Empfindungserfahrungen ermöglicht haben.

Ohne Wahrnehmung, ohne das Zusammenspiel der Sinne geht nichts. Das Baby würde niemals sein Köpfchen zu Mamas Stimme hinwenden, es würde nie seine Hand zielgerichtet auf ein Spielzeug zubewegen, und es würde nicht laufen, sondern zusammensacken. Nicht, weil die Muskeln nicht stark genug wären, sondern weil ihm das ganze Sinneszusammmenspiel fehlte, das ihm ein Aufrichten überhaupt erst ermöglicht. Wir können das selber erfahren, wenn wir zu lange in ein und derselben Haltung stillsitzen und nur ein oder zwei Sinne beansprucht werden – beim Lesen, im Konzertsaal, vor dem Fernsehapparat. Dann werden all unsere anderen Wahrnehmungen wie Gleichgewichtssinn, Taktilität (etwas mit der Haut oder den Fingerspitzen spüren), Eigenwahrnehmung aus unseren Muskeln und Gelenken nicht mehr ausreichend angesprochen. Solange dabei der Geist und die Phantasie lebhaft gefordert sind, werden die eben genannten Sinne noch in gewisser Weise imaginär benutzt. Wenn jedoch nur relativ Monotones an unser Ohr oder Auge gelangt, hört auch das auf. Dann werden wir müde. Wir sacken in uns zusammen. Wir spüren uns nicht mehr und beginnen uns zu rekeln, am Kopf zu kratzen, zu räuspern, zu husten oder mit den Füßen zu scharren. Damit geben wir unseren Wahrnehmungen wieder »Nahrung«. Eine Weile gewinnen wir so die Oberhand über unsere Müdigkeit und Erschlaffung.

Das Konzert der Sinne

Wir werden uns die Erlebenswelt eines Neugeborenen und wenige Wochen »jungen« Babys kaum vorstellen können, wenn wir nicht zuerst zu verstehen suchen, dass seine Sinne immer wie die Instrumente in einem Orchester zusammenspielen. Ebenso wichtig ist jedoch zu begreifen, dass sie noch vollkommen anders als später miteinander umgehen. Das heißt, die Wahrnehmungen sind noch nicht so genau voneinander getrennt. Sie durchdringen sich gegenseitig. Licht kann wie ein Klang erlebt werden. Ein Klang wiederum kann auf der Haut empfunden und in eine Bewegung umgesetzt werden. Etwas mit den Lippen, der Haut, den Händen fühlen ist wie etwas sehen. Darum kann ein Baby die besondere Form eines Schnullers, den es nie angeschaut, sondern an dem es nur genuckelt hat, später mit den Augen wieder erkennen. Wissenschaftlicher ausgedrückt: Sinneserfahrungen wie sehen, hören, fühlen werden in andere Modalitäten übertragen. Sie können von einem System – hören zum Beispiel – aufgenommen werden und in einem anderen – fühlen mit dem Tastsinn – »kodiert« werden. So war es beim Fötus in den letzten Wochen, und so erlebt das Neugeborene, ja sogar noch das mehrere Monate alte Baby.

In seinem Buch *Tagebuch eines Babys* beschreibt Daniel Stern die Begegnung des sechs Wochen alten Joeys mit einem Sonnenstrahl. Es ist nicht nur ein Seh-Erlebnis, sondern ein Erlebnis vieler Sinne und starker Emotionen. Die Sinne lassen Gefühle entstehen.

Wie mag sich ein Sonnenstrahl an der Wand für ein kleines Baby »anfühlen«? Stern schreibt: »Ein Stück Raum leuchtet dort drüben. Ein sanfter Magnet zieht an und hält fest. Der Raum erwärmt sich und wird lebendig. In seinem Innern beginnen Kräfte sich langsam tanzend umeinander zu drehen.« In Joey entsteht eine innere Spannung, die zunächst wie ein Ton, der lauter wird, ansteigt, und nach und nach wieder abebbt.

Da möchten wir gleich fragen: Warum »dort drüben«? Woher weiß das Baby, dass der sonnige Fleck nicht ganz nah bei ihm ist?

Stern meint, für Joey »ist der Raum nicht kontinuierlich und nahtlos wie für einen Erwachsenen. Er erlebt ihn als kleineren inneren und größeren äußeren. »Es ist, als bilde der Raum eine Kugel um ihn, deren Radius der Länge seiner Arme entspricht. Selbst blinde Babys greifen nach einem tönenden Objekt nur dann, wenn es in diesen Radius eintritt. ... Deshalb befindet sich der Sonnenreflex ›dort drüben‹ ... «

Warum wird der Raum wärmer für Joey? »Der Lichtfleck«, erklärt Stern, »scheint immer wärmer zu werden und immer näher zu kommen infolge des Farbenspiels.« Farben können sich verschieben, wenn man lange auf einen Fleck starrt. »In diesem Alter sind Kinder bereits in der Lage, Farben zu sehen. Der Sonnenstrahl wirkt gelblich auf der weißen Wand. Diese schimmert bläulich, wo der Sonnenstrahl sie nicht trifft. ›Wärme‹, intensive Farben wie Gelb scheinen sich nach vorn zu bewegen, während ›kühlere‹ Farben wie Blau zurücktreten. Joey scheint es deshalb, als würde sich der Sonnenstrahl auf ihn zubewegen, während der Raum in dessen unmittelbarem Umkreis sich von ihm fortbewegt.« Der Raum besitze für das Kind ein Zentrum, erläutert Stern, das kontinuierlich näher kommt, wie ein Ton, der immer weiter ansteigt.

In dieser Interaktion mit dem Sonnenfleck an der Wand *fühle* Joey alles aufsteigen, als wolle es ihm begegnen. »Das Spiel der Illusionen und Gefühle fasziniert Joey. *Für ihn ist es ein Feuerwerk, das nicht nur seine Augen, sondern sein gesamtes Nervensystem gefangen hält.*« (Hervorhebung von mir, Anmerkung der Autorin) Für den kleinen Jungen »ist der lebendig gewordene Sonnenstrahl ein Spiel von Kräften. Er sieht etwas tanzen.« Jeder der Sinne dieses Kindes wirkt auf den anderen.

Bei Joey und das heißt bei allen Babys in diesem Alter, so erklärt der Entwicklungsspezialist, laufen alle Wahrnehmungen nach diesem Prinzip ab. »Für ihn gibt es ›draußen‹ keine ›toten‹, unbelebten Dinge ...«[17]

Seine Sinnes- und Gefühlserlebnisse sind für ein Baby so aufregend, dass es sich damit oft erstaunlich gut und erstaunlich lange ganz allein unterhalten kann. Wir können das überall beobachten, wo wir einer Mutter mit dem Kinderwagen begegnen. Während Mama eine Weile die Auslagen in einem Schaufenster studiert, scheint das Baby, das flach auf dem Rücken liegt, eine Menge hochinteressanter Dinge zu entdecken, einen Zweig in seinem Gesichtsfeld, dessen Blätter rascheln, einen Vogel, der plötzlich auffliegt, das Licht, in dem das Verdeck des Kinderwagens aufleuchtet und das bunte daran hängende Püppchen lebendig wird. Schwer vorstellbar für uns, was dabei alles in seinem Innern lebendig wird. Die Mimik und gelegentlichen Laute des Kleinen zeigen an, welches Gefühl ihn wohl dabei am meisten bewegt: aufgeregte Fröhlichkeit.

Ich werde nie vergessen, wie es war, als ich mein erstes Kind nach Hause brachte. Fast fünf Monate hatte es von Glasscheiben abgeschirmt in einem mit weißen Tüchern umhängten Krankenhausbett gelegen. Seine Händchen waren an den Gitterstäben festgebunden, damit es sich nicht die an seinem Kopf befestigten Sonden und Katheter abriss. Die Welt dieses kleinen Mädchens war weiß, fast unbewegt und monoton. Die einzigen Abwechslungen waren Gesichter, die sich manchmal über sie beugten, freundlich zu ihr sprachen, Hände, die sie versorgten, ihr Nahrung durch die Sonde einflößten oder ihr Schmerzen zufügten. Man hätte meinen können, dass sie ein trauriges Baby war.

Als sie nach Hause kam, war es ein Fest für sie. Ein Fest der Sinne. Bei allem, was sie sah, hörte und erlebte, schien sie freudig überrascht. Als ich sie in ihr Bettchen mit bunten Decken und Spielzeugen legte, schaute sie sich um und wurde nicht müde dabei. Auch zu ihr schien wie zu Joey die Sonne ins Zimmer. Fasziniert beobachtete sie das Licht- und Farbenspiel. Ihr ganzer Körper geriet vor Aufregung in Bewegung. Dabei entstanden Schatten im Sonnenlicht an der Wand. Sie tanzten, wackelten, zuckten. Plötzlich begann das Baby, unverwandt auf sein eigenes Schattentheater starrend, herzhaft und laut zu lachen. Richtig belustigt. Sie freute sich so, dass es mich ansteckte. So blieb sie. Ein ganzes Jahr lang freute sie sich weiter über alles, was sie wahrnahm. Ihre Sinne sogen gierig alle die so lange vermissten Erlebnisse ein. Sie konnte gar nicht genug davon bekommen. Bis ihre Sinne und die damit verbundenen Empfindungen sich satt »getrunken« hatten. Als das erste Jahr ihres neuen Lebens herum war, hatte sie aufgeholt und begann sich mehr wie andere Babys zu benehmen, seltener zu lachen, anspruchsvoller zu werden, nun auch Ärger, Zorn oder Enttäuschung zeigend. Ich war froh darüber, bewies sie damit doch, dass sie endlich merkte: Es hat einen Sinn, wenn ich zeige, was mir fehlt. Wenn ich weine oder rufe habe ich damit Erfolg. Das hatte sie im Krankenhaus sicher kaum lernen können.

Man könnte fragen, warum Babys wohl mit dieser merkwürdigen Fähigkeit, Sinneswahrnehmungen unversehens und ganz erstaunlich miteinander zu verknüpfen und hin und her zu verwandeln, ausgestattet sind. Vielleicht versetzt sie gerade diese besondere, nur ihnen eigene Fähigkeit zu einem wirklich *globalen Empfinden* in die Lage, sich von Anfang an so erstaunlich schnell zu orientieren.

Wenn Neugeborene uns schon wegen ihrer unterschiedlichen Temperamente und Verhaltensmerkmale überraschen, dann gehört zu diesen erkennbaren Unterschieden eben diese »Orientierungsfähigkeit« – eine Art koordinierte Neugier. Wie das Wort Neu-Gier deutlich macht, handelt es sich um die Begierde auf alles, was den Sinnen und damit den Gefühlen als Nahrung dienen kann. Man könnte dies auch als den Motor für jede Art von Lernen ansehen. Wird das Baby nicht auf diese Weise motiviert, Denken und Verstehen »in Gang zu bringen«?

Da hier von den ersten Gefühlen die Rede ist: Die größte Begierde zeigt das Kind am Anfang im Erkunden des menschlichen Gesichts mit all seinen Gefühlsausdrücken, im Erlauschen der Gefühlsbotschaften in den »Melodien« der mütterlichen Stimme und im globalen, allumfassenden Fühl-Erlebnis der Geborgenheit und Zärtlichkeit am Körper der Mutter. Diese Privilegierung der sozial-affektiven Wahrnehmungssignale lässt uns besser verstehen, wie sehr das Baby Menschen mit Gefühlen braucht, um alles Übrige, was sonst auf es einstürmt, verarbeiten zu können.

Woher kommt das Gefühl für Harmonie?

Wenn es uns gut geht, sagen wir manchmal: »Ich fühle mich ausgeglichen. Ich bin im Gleichgewicht.« Dagegen ist jemand, der »aus dem Gleichgewicht ist«, meist in einem schlimmen Zustand.

Eigentlich gibt es drei Arten von Gleichgewicht. Sie alle spielen unser Leben lang eine bedeutende Rolle. Das gilt in besonderem Maße für das Baby.

Das erste Gleichgewicht ist zunächst ein ganz und gar biologisches. Man könnte es die Tendenz zum Ausgleich nennen, zum aktiven Herstellen möglichst konstanter optimaler Bedingungen. Diese »Homöostase« regelt den harmonischen Ablauf aller Vorgänge im Körper wie die Ausschüttung bestimmter Hormone, die Verdauung, die Frequenz des Herzschlags, der Atmung, das An- und Absteigen der Körpertemperatur, die Phasen des Schlafs, des Hungers und Durstes. Das heißt, sie reguliert alle organischen Systeme in ihrem Zusammenspiel nach zeitabhängigen Rhythmen. Wissenschaftler bezeichnen sie als »chronobiologische Rhythmen«. Diese Rhythmen, je nach Tier- oder Planzenart, aber auch je nach Individuum und nach Organ unterschiedlich lang oder kurz, folgen auf der ganzen Erde dem gleichen Gesetz, nämlich dem Tag- und Nachtwechsel. Das Kommen und Gehen des Sonnenlichts, das heißt die alle 24 Stunden vollendete Drehung unseres Planeten um die eigene Achse ordnet und bestimmt unseren gesamten biologischen Tagesablauf in minutiös aufeinander abgestimmten Zyklen und Frequenzen. Unsere Gesundheit ist stark abhängig vom Gleichgewicht dieser Rhythmen, die im Einklang mit der Natur sein müssen. Jedoch auch unser seelisches Fühlen ist viel stärker auf diesen Einklang angewiesen, als wir denken. Einiges davon wird uns im Zusammenhang mit Schlaf oder bei Interkontinentalflügen bewusst.

Schon der Fötus hat eine eigene, von der Mutter weitgehend unabhängige Homöostase. Ebenso das Neugeborene. Seine chronobiologischen Rhythmen entsprechen noch nicht denen eines größeren Kindes oder Erwachsenen. Seine Schlafzyklen zum Beispiel müssen sich noch zusammen mit seinem Gehirn zur vollen Reife entwickeln. Da es jedoch erst mit seiner Geburt in die Welt des Lichts eintritt, kann sich die Einpassung in die Rhythmen der Umwelt erst jetzt richtig entfalten. Das braucht seine Zeit. Das körperliche Wohlbefinden, aber auch die Stimmung und die Aufnahmebereitschaft des Babys sind in den ersten Monaten leicht störbar. Es ist unbedingt notwendig, dass wir es seinen eigenen individuellen Rhythmus finden lassen und ihm nicht dauernd einen von unserer weitgehend »künstlichen« Welt bestimmten aufzwingen wollen.

Der französische Wissenschaftler Henri Laborit, »Erfinder« der ersten Benzodiazepine (Tranquilizer), ist der Meinung, jedes Lebewesen auf dieser Erde, ob Alge, Moos, Säugetier oder Mensch, sei ständig damit beschäftigt, dieses innere Gleichgewicht herzustellen. Denn genau genommen wird es nie erreicht. Etwas in uns tendiert immer dazu, die Harmonie zu stören: Hunger, Durst, Kälte, Müdigkeit, Erregung oder anderes. Der Normalzustand des Lebendigseins ist demnach: Gleichgewicht, Homöostase suchen. Das erzeugt ein körperliches Wohlgefühl, dessen wir uns erst bewusst werden, wenn es gestört worden ist.

Das zweite Gleichgewicht ist das, was wir unter Balance verstehen. Das Organ dafür sitzt im Innenohr. Die Informationen, die es über unsere jeweilige Lage oder Stellung im Raum aufnimmt, leitet es an die für die Bearbeitung zuständigen Bereiche im Gehirn weiter, an das Kleinhirn und die so genannten vestibulären Kerne. Alles zusammen bildet das vestibuläre System. Wie wichtig es für die Entwicklung des Babys ist, zeigt sich schon daran, dass es gleichzeitig mit dem Tastsinn noch vor allen anderen Wahrnehmungssystemen »arbeitet« – schon beim acht Wochen alten Embryo.

Seine Bedeutung zeigt sich besonders eindrucksvoll in der gesamten Bewegungsentwicklung des ersten Lebensjahrs. Während dieser Zeit führt das Kind einen unablässigen »Kampf« gegen die Schwerkraft. Viele seiner Bemühungen gelten dem Aufrichten. Zuerst des Kopfes, dann des Rumpfs und schließlich des ganzen Körpers. Über Kopfheben, Sitzen, Krabbeln kommt es auf die Beine, wobei es immer wieder unwiderstehlich von der Erde angezogen wird und – hinfällt.

Wenn es im Sitzen die Hände zum Greifen und Spielen frei bekommt, ist es auch reif, sich mit ihnen beim Krabbeln alternierend auf den Boden zu stützen. Das Krabbeln und Laufen erweitern seinen Horizont (auch seinen geistigen) und damit die Reichweite seiner Erkundungen entscheidend. Wenn es uns schließlich, auf seinen Beinchen wackelnd, entgegenkommt, zeigt seine Mimik an, wie stolz es ist. Es hat gute Gründe: Denn der Kampf gegen die Schwerkraft ist gewonnen.

Wir haben bereits erwähnt, dass dieses Verdienst nicht allein dem Gleichgewichtssinn zukommt. Alle anderen Sinne haben dazu beigetragen: Die Eigenwahrnehmung, Propriozeption, hat das Kind informiert, wie stark die Muskeln angespannt und die Gelenke gebeugt sind; der Tastsinn hat ihm geholfen, den Boden unter den Füßen zu spüren; das Sehen hat ihm gemeldet, wie sich seine Position im Raum veränderte; und das Gehör hilft ihm mit den anderen Sinnen abzuschätzen, wie weit der es mit Worten ermunternde Papa ist.

Wie viel Vergnügen Kinder an ihrem Gleichgewichtssinn haben, wissen wir, weil wir sie von Anfang an in eine Wiege legen oder zur Beruhigung im Kinderwagen fahren oder sanft rütteln, weil wir sie im Arm oder aufrecht an der Schulter wiegen, und nicht zuletzt, weil sie alle so ungeheuer gern schaukeln.

Mit Neugeborenen können Mütter zudem noch eine andere aufschlussreiche Erfahrung machen: Wenn sie die Kleinen aufrecht halten und dabei fest und sicher im Gesäß und Nacken abstützen, dann überraschen sie uns mit einer erstaunlich aufmerksamen, »klugen«, scheinbar noch gar nicht zu ihrem zarten Alter gehörenden Mimik. Die Entwicklungsneurologin Inge Flehmig[18] erklärt, dass die Stimulierung des Gleichwichtssinns durch die aufrechte Körperhaltung Aufmerksamkeit und geistige Aktivität in Gang setzen. Auch wir werden munterer, geistig leistungsfähiger, wenn wir aufrecht sind. Im Liegen gelingt klares Denken nicht so leicht.

Jasper, sechs Monate

Den beiden Gleichgewichten, dem biologisch-körperlichen und dem Wahrnehmungssinn im Umgang mit Schwerkraft und Raum, entspricht ein drittes: unser seelisches Gleichgewicht, die innere Balance. Beim Baby hängt sie noch sehr stark von unserer liebevoll-verlässlichen Fürsorge ab. Es ist auf den »Uterus Familie« angewiesen, um sie entfalten zu können.

Alle drei Gleichgewichte sind immer im Dialog miteinander. Nichts passiert mit einem Baby, bei dem sie nicht in irgendeiner Weise zusammen einbezogen würden.

Die Lust am eigenen Körper, am eigenen Können und an Herausforderungen, das Einverstandensein mit den eigenen Gefühlen, kurz, die Lust am Leben werden weitgehend von unserem »dreieinigen« Gleichgewicht bestimmt und reguliert.

Sinneserlebnisse müssen eine bestimmte Intensität haben

Wenn wir einem Baby begegnen, wünschen wir uns oft ganz besonders, ihm ein Lächeln zu entlocken. Wir machen intuitiv das oben beschriebene Grußgesicht und sagen – mit »Ammenmelodie« – zwei, drei freundlich aufmunternde Worte: »Na, du Kleine.« Dann wandeln wir im gleichen Tonfall leicht ab: »Du bist ja eine Süße!« und nicken dazu. Der Erfolg bleibt nicht aus. Das Baby lächelt uns strahlend an. Das gefällt uns so gut, dass wir gern noch mehr davon haben wollen. Wir setzen unsere Appelle nun also mit verstärkter Mimik und mehr Worten fort. Und es passiert – nichts. Je mehr wir uns anstrengen, desto uninteressierter scheint das Baby. Machen wir etwas falsch?

Allerdings, denn wir unterschätzen häufig die Sensibilität unserer kleinen Gesprächspartner. Besonders empfindsam ist das Baby am Lebensanfang für die *Intensität* seiner Sinneserfahrungen. Zu schwache Reize interessieren es nicht, zu starke lassen es ermüden oder sich abwenden und sich einem anderen, weniger starken Reiz zuwenden. Es kommt nicht darauf an, ob das zu heftige oder zu schwache Einwirken von Farben, Licht, Lauten, Bewegungen herrührt. Das Kind sucht sich in seiner Umwelt das heraus, was seiner Aufnahmefähigkeit gut tut, und dafür interessiert es sich.

Genau dieser Umstand war Tiffany Martini Field im Umgang mit den Müttern von Risikokindern aufgefallen (siehe auch S. 101ff.). Je angestrengter und heftiger die Mutter sich um die Aufmerksamkeit des Kindes bemühte, desto gleichgültiger reagierte es. Gleichgültigkeit zeigte es jedoch auch beim anderen Verhaltensextrem – der sehr inaktiven Mutter, die ihr Kind wenig mit Lauten oder Mimik in Spiel oder Dialoge hineinzieht. Nur das richtige Mittelmaß ruft seine optimale Aufmerksamkeit und eigene Handlungsbereitschaft auf den Plan.

Jedoch wird die Sache auch bei mittlerer Intensität schnell langweilig, wenn dem Baby zu lange das Gleiche geboten wird. Auch dann wendet es sich ab und wird erst dann wieder munter, wenn etwas Neues oder auch nur eine andere Variante geboten wird.

Eltern merken, wie unser Beispiel mit der Mutter am Wickeltisch und dem hinzukommenden Vater zeigt, meist ganz genau, wenn ein Reiz oder ein Zusammen an Reizen in ihrer Intensität zu stark werden für das Baby, wenn es zu aufregend wird. Sie passen sich intuitiv den feinsten Aufmerksamkeitsschwankungen ihres Kindes an und ändern dann ihr Spiel, den Tonfall oder die gesamte Situation.

Dabei hat übrigens jedes Kind seine eigene Schwelle für die von ihm tolerierte Heftigkeit. Väter, die ja die Schwangerschaft mehr »von außen« erlebt haben als ihre Frauen, brauchen oft ein wenig mehr Zeit, bis sie diese feinen Schwankungen bei ihrem Baby bemerken. Sie haben so viel Spaß am Spiel mit ihm, dass sie es oft ein wenig übertreiben. Dann erleben sie, dass jauchzendes Lachen plötzlich mit einer ganz ängstlichen Mimik einhergeht und alsbald in Weinen umschlägt.

Bei zu heftigen Sinnesreizen und zu heftigen Gefühlen gibt uns ein Baby also Signale, die wir schnell verstehen lernen. Grundsätzlich »mag« es keine Übertreibungen, ebenso wie es nicht mag, wenn wir nicht reagieren.

Wenn das Kind einige Wochen älter ist, bereitet ihm jedoch gerade die etwas heftigere »Spielart« des Vaters Vergnügen, der damit unter anderem besonders die Lust des Babys auf viel Bewegung befriedigt.

Babys bevorzugen nicht immer die gleichen »Empfangsantennen«

Bei der genauen, wissenschaftlichen Beobachtung von Babys in den ersten Lebensmonaten zeigt sich jedoch, dass sie nicht nur eine ganz bestimmte Intensität bevorzugen, sondern auch im Laufe ihrer Entwicklung mal die eine, mal die andere »Empfangsantenne« bevorzugen – mal Hören, mal Sehen, mal Fühlen. Und dann setzen sie diese Wahrnehmungen so ein, dass sie zeitweilig besonderen Spaß an der *rhythmischen* Darbietung von Gesehenem, Gehörtem oder Gefühltem haben, mal an der *räumlichen* Verteilung – nah, fern, rauf, runter, hin und her – , mal an Erlebnissen, die vorherrschend *zeitlich* sind, zum Beispiel bestimmte Rhythmen, mal einfach an Bewegung, mal an Wechsel in der *Intensitität.*

Es zeigt sich nun, dass Babys, je nach ihrer Entwicklungsphase, ganz bestimmte solcher Spiele mit den Sinnen besonders mögen. Während einer solchen Zeit reagieren sie aufmerksamer und mit mehr Vergnügen bei einigen, wie wir sie eben geschildert haben. Andere dagegen interessieren sie dann zeitweilig nicht. Denken wir an ein Neugeborenes, wenn es in das Gesicht der Mutter schaut. Eigentlich schaut es nicht in, sondern an den Rand ihres Gesichts, den Rahmen. Sein Blick scheint sich an ihrem Haaransatz so festzusaugen, dass es durch keine Mimik abzulenken ist. Noch lange Zeit interessiert es sich für Grenzen, für Ränder von Formen.

Einem ähnlichen Phänomen begegnen wir bei einem Kleinkind. Es mag uns verblüffen, wenn es mit unerschütterlicher Hartnäckigkeit wieder und wieder ein Kügelchen in ein Loch steckt oder wenn es sein Spielzeug oder ein Löffelchen hundert Mal auf den Boden wirft, nur damit wir es wieder aufheben und er oder sie es erneut herunterwerfen kann. Am nächsten Tag oder in der nächsten Woche erfindet es dann etwas ganz anderes, was es besonders »mag«. Das alte Spiel interessiert nicht mehr.

In Wahrheit geht es um viel mehr als mögen. Das Kind bringt es so fertig, ganz unterschiedliche Fähigkeiten und Kombinationen von Fähigkeiten zu üben. Und es übt eben unbeirrt so lange, bis es in ihnen eine »Qualität« erreicht, die notwendig ist, um weiter darauf aufzubauen. Nur sollten wir nicht denken, dass es da aufbaut, wo wir es erwarten. Plötzlich bevorzugt es ein ganz anderes »Spielchen«, das scheinbar nichts mit dem vorangegangenen zu tun hat.

So ist der Entwicklungs-»Plan« eines Babys gesichert: Alle Bereiche kommen in immer neuer Kombination dran, und alles wird viel weiser und vielfältiger genutzt, als wir es als Eltern in manchmal falsch verstandenem Förderungswahn anregen könnten (zum Beispiel wenn manche einem Baby schon Lesen oder Rechnen beibringen wollen).

Eine geheime Lust, alles zu benutzen, was ihm an Möglichkeiten zur Verfügung steht, mag das Kind dabei antreiben. Wissenschaftler sprechen von »Funktionslust«.[19] Das Kind hat einfach Spaß an dem, was es dank seiner Sinne erleben kann – einer Bewegung, daran, Laute hervorzubringen und ihnen zu lauschen, an Farbspielen, am Schaukeln.

Diese »Funktionslust« ist vielleicht das erste positive Empfinden von sich selber, das schon den Embryo veranlasst, seinen ganzen Körper zu einer Art Purzelbäumen abzustoßen, und den Fötus, mit Armen und Beinen zu strampeln.

Von der Lust am eigenen Körper zum Selbstbewusstsein

Der Spaß an der eigenen Bewegung, am Funktionieren des eigenen Körpers bleibt durch die gesamte Kindheit und das Jugendlichenalter hindurch bis weit ins Erwachsenendasein erhalten. Ein Mensch muss schon physisch und geistig sehr am Ende sein, um dieses Gefühl der Lust am eigenen Körper vollkommen zu verlieren. Beim kleinen Kind ist sie jedoch am stärksten – sie ist wie ein Perpetuum mobile, das es ständig antreibt, in Bewegung und auf Erkundung zu sein.

Während es all dies für uns oft Unbegreifliche unternimmt – mit seinem Strampeln, Laute-Hervorbringen, Seine-Rassel-Schütteln, Auf-ein-Hölzchen-Klopfen, Herunterwerfen, Umherkrabbeln, Überall-Hinein-und-Drunterschauen, Alles-aufmachen-Wollen, Seine-Finger-in-jedes-Loch-Bohren und Unzähligem mehr – wird aus diesem Spaß am Benutzen des eigenen Körpers und der Sinne etwas anderes. Unversehens wird aus der »Funktionslust« so etwas wie »Selbst-bewusst-Werden«. Aus Lust an Funktion wird Lust an Erfolg.

Wir wissen nicht genau, wie. Mit Sicherheit jedoch wissen wir, dass Kinder sich ihrem Tun besonders gern widmen, wenn sie damit etwas erreichen oder erkunden. In Wahrheit sind ihre Handlungen selten zufällig, meist sind sie kontrolliert, zielgerichtet, und das Kind versucht damit, ohne dass wir es ahnen, eine Herausforderung zu bewältigen: Es übt seine Laute, bis der gewünschte annähernd klappt, es hält die Rassel nicht irgendwie, sondern bewegt sie so, dass sie das gewünschte Geräusch erzeugt. Den größten Spaß macht es Kindern, wenn ihre Bemühungen von Erfolg gekrönt werden – nicht etwa, wie man glauben könnte, weil sie dafür belohnt oder gelobt werden.

Hanus Papousek beobachtete das schon bei vier Monate alten Babys. Er hatte herausgefunden, dass sie erstaunlich schnell lernten, ihren Kopf nach rechts oder links zu drehen, um damit ein Arrangement von Lichtern anzuknipsen. Mehr noch: Sie konnten sogar recht komplexe Sequenzen lernen, um das gewünschte Resultat zu erzielen: zum Beipiel den Kopf abwechselnd nach links und rechts oder, noch komplizierter, ihn zweimal nach links und zweimal nach rechts zu wenden. Sie brachten es auf drei aufeinander folgende Kopfdrehungen in beide Richtungen. Der Münchener Forscher hatte das Lichterspiel direkt vor den Kindern angebracht. Wenn die Lämpchen aufleuchteten, lächelten die Babys und stießen kleine Freudenlaute aus. Der Wissenschaftler erwartete darum, dass sie bei jedem Versuch noch einmal zurück- und genauer auf die Lichter blicken würden. Manchmal taten sie das jedoch nicht, obwohl sie alle Anzeichen von Vergnügen zeigten. Hanus Papousek schloss daraus, dass ihr Spaß an der Sache nicht in erster Linie vom hübschen Anblick der Lichter herrührte, sondern daher, dass sie eine Aufgabe erfolgreich gelöst hatten.

Viele andere Beobachtungen erhärteten seine Vermutung. Schon in den allerersten Versuchen mit wenige Monate alten Babys hatte er das Gleiche festgestellt: Die Kinder wurden für ein bestimmtes Kopfdrehen nach einer Seite mit Milch belohnt. Es zeigte sich zu seiner Überraschung, dass die Babys mit dem gleichen Vergnügen weitermachten, wenn sie völlig satt waren und überhaupt keine Lust mehr auf Milch hatten. Es ging ihnen also nicht um die Belohnung, sondern um den Erfolg. Der amerikanische Entwicklungsspezialist Jerome Bruner schloss aus ähnlichen anderen Beobachtungen: »Wir interessieren uns für Dinge, in denen wir gut sind (in what we get good at).«[20]

Papousek demonstrierte mit seinem Versuch, dass schon Babys eine gewisse Vorstellung von sich und der Welt in sich tragen. Sie zeigen Zufriedenheit, wenn ihre Vorstellung mit der wirklichen Welt übereinstimmt, Unzufriedenheit und Enttäuschung dagegen, wenn das erwartete Resultat nicht eintritt, wenn also die Lichter nicht angehen. Es ist nicht die Belohnung durch die vergnüglichen Lichter oder durch Milch, die zählt, sondern der Erfolg, der ihrer Erwartung entspricht. Diesem Erfolgsgefühl kommt also eine sehr viel größere Bedeutung zu, als wir bisher angenommen haben.

So bleibt es auch später beim Kleinkind und Schulkind. Bei Schulanfängern erwies sich, dass nicht Preise oder Zensuren sie zum Lösen einer Aufgabe motivierten. Auszeichnungen ließen, wie einige Untersuchungen zeigten, sogar ihren Eifer erlahmen. Sie ruhten sich auf ihren Lorbeeren aus. Anders war es mit verbalen Ermutigungen und Lob vom Lehrer. Für die Kinder bedeuten sie letztlich eine *Gefühlsantwort*, in der sie sich selber besser erkennen – wie das Baby sich im Gesicht der Mutter, in ihrer Gefühlsantwort, erkennt. Beides feuerte die Kinder an, mit dem gleichen oder noch mehr Eifer weiterzumachen. Die größte Motivation zogen die Kinder jedoch aus dem Erfolg der eigenen Arbeit. So entsteht aus Spaß an sich selbst und Am-selbst-»Schaffen« das, was wir »Selbstbewusstsein« nennen.

Selbstbewusstsein entsteht nicht, weil wir eine Belohnung bekommen, sondern weil wir auf uns selbst zählen können.

Daniel Stern meint, dies Gefühl, der Urheber der eigenen Handlungen zu sein, Willen zu besitzen und selbst erzeugte Handlungen (zum Beispiel den Arm bewegen, wenn ich es will) kontrollieren zu können und schließlich bestimmte Konsequenzen der eigenen Handlungen zu erwarten (zum Beispiel, wenn ich die Augen schließe, wird es dunkel), sei eine wichtige Voraussetzung »zur Entwicklung eines organisierten Kern-Selbst-Empfindens«. Er fasst also das, was wir hier beschrieben haben, in dem Wort Urheberschaft zusammen.

Um ein Kern-Selbst-Empfinden herauszubilden, brauche es außer diesem Empfinden der Urheberschaft noch drei andere Voraussetzungen, meint der Wissenschaftler: das Empfinden, ein vollständiges körperliches Ganzes zu sein, das eigene Grenzen hat. Das Erleben wiederkehrender innerer Gefühle. Und ein Gefühl der Einbindung in ein fortwährendes Sein mit eigener Vergangenheit, wobei man sich verändert und doch ein und dieselbe Person bleibt.[21]

Eltern fördern diese vielfältige Entwicklung durch all ihre

kleinen Interaktionen und auch einfach im familiären liebevollen Zusammenleben – ohne jede theoretische Kenntnis. Ihre Intuition weist ihnen dabei den Weg. Unsere kleinen wissenschaftlichen Exkurse sollten sie daher weder beunruhigen noch in irgendeiner Weise in ihrem spontanen Handeln beeinflussen. Vielleicht allerdings tragen solche Schilderungen dazu bei, dass sie sich noch mehr freuen, welch kleines Wunderwesen da in ihrem Kreis heranwächst.

Warum es für Wissenschaftler viel schwieriger ist als für Eltern, Gefühle zu verstehen

Niemand, der Kinder beobachtet, zweifelt daran, dass sie Gefühle haben. Jedoch: Sind es die gleichen, die wir empfinden? Was würden sie uns wohl erklären, könnten sie uns schon antworten? Nicht einmal wir Erwachsene in unserer modernen Welt können so einfach unsere Gefühle beschreiben. Vielleicht war die Fähigkeit dazu in anderen Zeiten, zum Beispiel als Goethe seinen *Werther* oder die *Wahlverwandtschaften* schrieb, größer als heute, wo sie uns weitgehend verloren gegangen ist. Manche, die sonst außerordentlich beredt sind, verstummen schnell, wenn es um Gefühle geht. Gefühle sind schwer fassbar.

Unter Emotionen verstehen wir meist eher ein biopsychisches Grundprogramm, das wir mit den Tieren teilen. Gefühle dagegen haben schon eine menschliche Geschichte, sie setzen irgendeine Form von Bewusstsein voraus. Das aber haben doch auch in gewissem Maße schon die höheren Säugetiere.

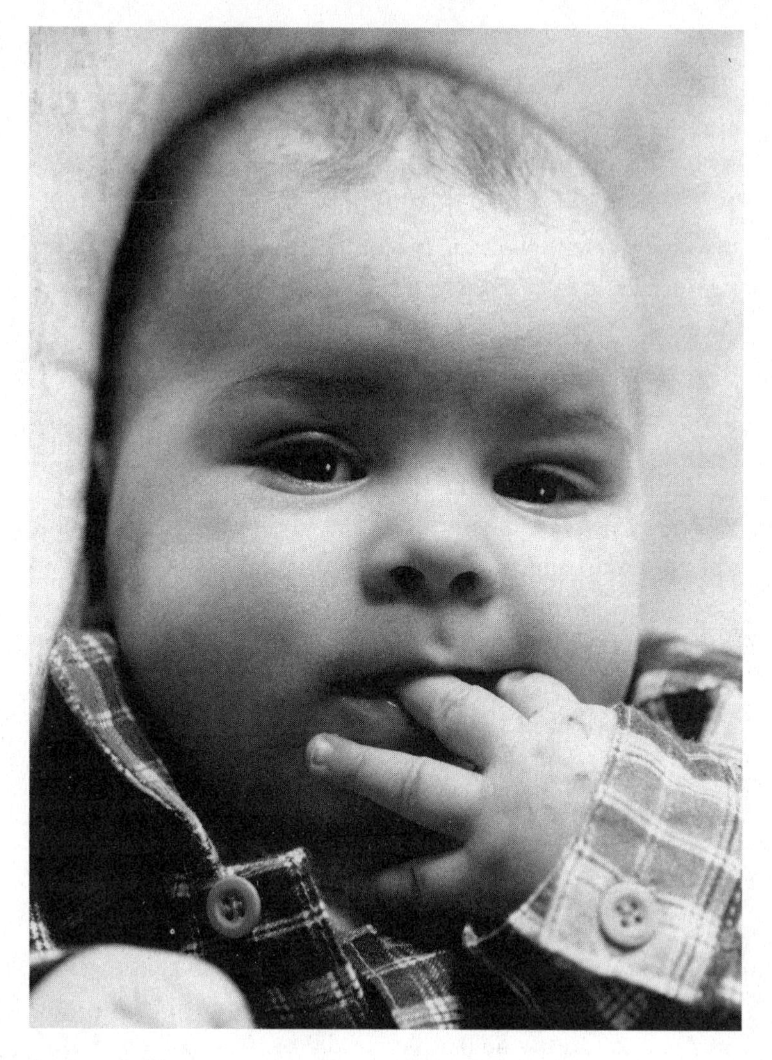

Jasper, sechs Monate

Genaue Grenzen zwischen Gefühlen lassen sich schon darum schwer ziehen, weil sie sich weder in Intensität noch Qualität exakt messen lassen. Außerdem kann ein Gefühl, Liebe zum Beispiel, andere enthalten, wie Glück, Trauer, Angst und sogar Hass. Und ebenso verwirrend ist, dass sie gelegentlich ineinander übergehen: Etwas kann bei uns Überraschung und gleichzeitig auch Furcht auslösen. Und manchmal sind unsere Gefühle »gemischt«. Beim plötzlichen Anblick einer Person können wir Angst und Freude empfinden, also eine negative und eine positive Empfindung auf einmal.

Bei Babys gestaltet sich das für den neutralen Beobachter (wohlverstanden nicht die Mutter!) noch schwieriger. Wie bereits erwähnt, müssen wir davon ausgehen, dass ihre Gefühle am Lebensanfang noch in einem anderen Entwicklungszustand sind als mit zunehmender Reife und sozial-affektiver Erfahrung.

Hinzu kommt eine den Babys eigene Merkwürdigkeit: Sie drücken mit ihrer Mimik Gefühle nicht in der gleichen Differenziertheit und Eindeutigkeit aus wie größere Kinder und Erwachsene. Das heißt, sie benutzen für verschiedene Empfindungen weniger mimische Grundmuster. Das scheint vor allem auf negative Gefühle zuzutreffen. Ein saurer Geschmack mag sie zum Beispiel zu einem von uns als »traurig« interpretierten Gesichtsausdruck veranlassen oder heftige Überraschung über einen plötzlich auftauchenden Gegenstand sich mimisch als »Angst« ausdrücken (wenn zum Beispiel ein »Jack in the box« unversehens aus einer vorher geschlossenen Dose herausschnellt).

Man hat also versucht in standardisierten Beobachtungssituationen herauszubekommen, was ein Gesichtsausdruck in welchem Alter bedeutet, welchem Gefühl er entspricht. Die kanadischen Forscher Keith Oatley und Jennifer M. Jenkins von der

Universität Toronto schildern in ihrem interessanten Buch über Emotionen eine Reihe solcher Versuche.[22]

Zehn bis zwölf Monate alte Babys wurden mit Situationen konfrontiert, in denen verschiedene Gefühlsreaktionen wie Freude, Angst oder Überraschung zu erwarten waren. Es stellte sich heraus, dass Freude (happiness) sehr viel häufiger entsprechend der Erwartung hervorgerufen wurde als Angst. Der Gesichtsausdrück, den die Kinder zeigten, stimmte also für das Erwachsenenverständnis besser mit dem empfundenen positiven Gefühl überein. Dagegen zeigten die Kleinen, da, wo Angst zu erwarten war, ganz verschiedene Gesichtsausdrücke, wie beispielsweise Überraschung. Positive Gefühle äußerten sich in der Mimik offenbar eindeutiger als negative.

Es war jedoch nicht leicht zu entscheiden, ob nur der jeweilige Ausdruck der negativen Gefühle uneindeutig war oder ob manche Babys in bestimmten Situationen, zum Beispiel, wenn sie krabbelnd zu einem visuell unter einer Glasplatte vorgetäuschten Abgrund gelangten, gar nicht Angst empfanden, wie wir es erwarten, sondern tatsächlich Überraschung.

Eltern machen mit ihren Kindern ihre ganz eigenen Erfahrungen. Manchmal sind sie überrascht, in Ratgeber- oder Psychologiebüchern Altersangaben für das »Auftreten« bestimmter Gefühle bei Babys zu lesen, die überhaupt nicht mit ihren eigenen Beobachtungen übereinstimmen. Meist entdecken die Mütter die entsprechenden Gefühle und ihre Ausdrucksweisen schon sehr viel früher. Wir haben das schon am Beispiel des Lächelns erörtert. Denken wir auch an die frühgeborenen Babys. Wochen vor dem normalen Geburtstermin beobachteten Eltern, Krankenschwestern und Ärzte an ihnen Gefühle und dazu passende Verhaltensreaktionen, die doch erst Monate später auftreten »dürften«.

Bilden sich die Mütter, Schwestern und Neonatologen das alles nur ein oder können die Wissenschaftler nicht richtig hinschauen? Beides ist unrichtig.

Wissenschaftliche Altersangaben über Gefühle gründen sich meist auf standardisierte Tests. Die erste Schwierigkeit dabei ist, dass sich Gefühle ganz besonders jeder Art von Messung entziehen, ja dass sie sich schon schwer definieren lassen und in ihrer lebendigen Erscheinung manchmal unfassbar dynamisch sind.

In den Untersuchungen werden eine Anzahl von Kindern von meist fremden Testern mit bestimmten Beobachtungssituationen konfrontiert, von denen man sich eine möglichst unmissverständliche Information erhofft. Zum Beispiel die visuell vorgetäuschte Klippe. Die meisten Kinder scheuen in einem bestimmten Alter davor zurück. Wenn eine ausreichende Mehrheit einer bestimmten Altersgruppe nun in einer ganz bestimmten Weise zum Beispiel mit Angst oder Überraschung reagiert hat, legt man dieses Ergebnis der Altersangabe für ein bestimmtes Gefühlsverhalten zugrunde.

Die individuelle »Wahrheit« ist eine ganz andere.

Einmal gilt für Gefühle, was auch sonst in der Entwicklung gilt: Kinder sind höchst unterschiedlich in ihren Fortschritten auf einzelnen Gebieten. Zudem: Manches »können« sie schon längst, bevor sie es zeigen.

Eltern haben es viel leichter als Wissenschaftler, ihre Kinder zu beobachten und ihre mimischen Äußerungen zu interpretieren. Sie sind keine Fremden für das Baby, so dass es sich schon darum anders verhält als mit fremden Menschen. Zudem steht Müttern und Vätern die ganz genaue Kenntnis ihres Babys und seiner Geschichte zur Verfügung. Sie sind mit seinem Temperament, seinen Gewohnheiten und Vorlieben vertraut. Und sie bekommen tausend Informationen von ihm – nicht nur aus seiner Mimik, sondern aus der Gesamtszenerie, die gerade abläuft. Die Situationen, in denen sie Gefühle bei ihren Babys beobachten, sind real, sie sind eingebettet in ein ganzes Drumherum eines sinnvollen, lebendigen Ablaufs. In diesem sinnvollen familiären Kontext zeigen Kinder Gefühle früher. Und feinfühlige Eltern haben andere intuitive Antennen, sie zu entdecken als ein wissenschaftlicher Beobachter, der das Kind nicht kennt und sich an bestimmte Kriterien halten muss.

Man kann den Schluss daraus ziehen: Beide Resultate, die der Eltern und die der Wissenschaftler sollten nicht in der gleichen Weise benutzt werden.

Gewisse wissenschaftliche Beobachtungen gehen von besonders lebensnahen komplexen Situationen aus, in die die Eltern einbezogen sind, zum Beispiel die so genannte »Fremden-Situation« von Mary Ainthworth in Amerika und den Grossmanns in Deutschland und vor allem die Mikro-Video-Analysen der Papouseks. Es darf nicht verwundern, dass die Beobachtungsergebnisse in Situationen, die dem realen Leben nahe kommen, anders ausfallen als in Tests, deren Situationen »künstlich« eingegrenzt sind. So hat Hanus Papousek manche Verhaltensweisen bei Babys in einem früheren Alter entdecken können als andere Beobachter.

Wie sich einzelne Gefühle entwickeln

Gefühle haben und verstehen

Unsere erste Sprache sind Gefühle. Diese Sprache benutzen das Baby und die Mutter unmittelbar nach der Geburt, also kommt es zumindest mit einer »Grundausstattung« davon, wie wir es genannt haben, zur Welt. Diese Grundausstattung teilen wir mit den höheren Säugetieren.

Uns interessieren hier weniger die wissenschaftlichen Theorien zur Frage, wie weit Gefühle angeboren oder erworben sind – beides übrigens nicht unbedingt ein Gegensatz. Wir wollen wissen, wie mag das eben zur Welt gekommene Baby seine Gefühle und die der anderen erleben?

Ein wenig haben wir das schon im Kapitel über die Sinne erklärt. Gefühle haben jedoch noch mehr als Wahrnehmungen nicht nur mit uns selber, sondern mit anderen zu tun. Der erste Schrei, die erste unmissverständliche Gefühlsäußerung des Babys, ist dazu bestimmt, gehört zu werden. Sie setzt voraus, dass da ein anderer, die Mutter, ist, die ihn hört. Sie antwortet ebenso mit Gefühlssprache, wie wir es bereits gezeigt haben – mit

In-den-Arm-Nehmen, Streicheln, Das-Kind-an-die-Brust-Legen. Das Baby »versteht« diese Signale: Es beruhigt sich.

Von Anfang an ist also zweierlei da: Gefühl und Verstehen von Gefühl.

Sehr früh unterscheiden Babys schon verschiedene Gesichtsausdrücke. Um das herauszufinden, macht man sich eine allen Babys eigene Verhaltensweise zunutze: Sie reagieren auf etwas Neues mit längerem Hinschauen. Man zeigte Neugeborenen, die gerade 36 Stunden alt waren, ein fröhliches Gesicht. Zuerst sahen sie lange hin. Wenn es mehrmals erschien, schauten die Kinder bald nur noch kurz hin. Sie waren nun vertraut damit, und ihr Interesse daran ließ nach. Nun wurde ihnen das gleiche Gesicht mit einem Ausdruck von Überraschung gezeigt. Wieder reagierten die Babys zunächst mit längerem Hinschauen. Nach mehrmaligem Wiederholen hatten sie sich auch daran gewöhnt. Dann tauchte das Gesicht plötzlich ganz traurig auf. Wieder sahen die Babys länger hin. Sie hatten also jedes Mal die Veränderung im Ausdruck bemerkt und mehr noch, sie versuchten sie sogar zu imitieren. Bei dem überraschten Gesicht rissen sie selber die Augen weit auf, beim traurigen schoben sie die Lippen vor.

Die Kinder können in diesem frühen Alter Gesichtsausdrücke jedoch nur richtig erkennen, wenn sie immer *von der Mutter* oder einer Bezugsperson präsentiert werden. Wenn es sich um verschiedene Gesichter mit den genannten mimischen Ausdrücken handelt, vermögen sie die gezeigten Gefühle nicht zu unterscheiden. Warum wohl? Sicher einmal, weil Vergleiche bei gleichen Grundvoraussetzungen immer leichter sind. Aber viel wahrscheinlicher noch, weil auf diese Weise die Bindung an die Mutter gefestigt wird.

Das erste Verstehen durchaus verschiedener Gefühle in Körpersprache, Mimik und Sprache braucht keine Vorbereitung.

Das Baby hat bei seiner Geburt ja noch keinen Kontakt mit irgendeiner Kultur gehabt. Sein Verstehen, ob die Mutter zärtlich-tröstend, abweisend, traurig oder fröhlich ist, hat also biologische Wurzeln. Bestimmte eindeutige Signale werden vom Baby verstanden, ohne dass es dazu etwas lernen muss.

Jedoch setzen, wie wir vielfach belegt haben, Lernen und Erfahrung unmittelbar nach der Geburt ein. Es ist wie mit bestimmten chemischen Grundstoffen: Im Kontakt mit der Luft oder anderen Substanzen verändern sie sich. So geht es dem Baby mit seinen ersten Grundgefühlen. Im Kontakt mit der Reaktion des Vaters oder der Mutter auf eines seiner Gefühle verändert sich dieses. Ebenso verändert sich auch nach wenigen Malen sein Verstehen der Gefühle. Später wird daraus ein kognitives Verstehen. Dann kann das Kind schon abwägen, einschätzen und eigene gut von fremden Gefühlen unterscheiden. Anfangs kann es das noch nicht gut.

Erstaunlich genug: Bereits mit *zehn Wochen* (und vorher – meinen etliche Mütter) antworten Babys auf elterliche Mimik, und zwar nicht etwa, indem sie sie einfach imitieren, sondern mit wirklich angemessenen mimischen und vokalen Reaktionen. Wenn die Mütter fröhlich aussahen, antworteten die Babys mit interessiertem, ebenfalls fröhlichem Gesicht und offenem, vollen Anblicken. Als Antwort auf Traurigkeit sahen sie nicht traurig aus, sondern begannen mit Kau- und Saugbewegungen des Mundes und sahen auf den Fußboden hinunter. Als Antwort auf Ärger und Zorn weinten einige Kinder heftig, während die übrigen wütend aussahen und zur Seite sahen. Manche bekamen auch einen wie »eingefrorenen« Gesichtsausdruck.

Babys reagieren auf Gefühle in Stimme und Mimik also in differenzierter Weise: Sie lächeln zum Beispiel oder weinen. Damit steuern sie schon in den ersten Lebenswochen die Handlungsabläufe zwischen sich und der Mutter. Mit Weinen können sie Einhalt gebieten und mit Lächeln zum Weitermachen und zur Steigerung des Spiels ermuntern. Babys, die jünger als drei Monate sind, lächeln schon, wenn sie die Stimme der Mutter hören (natürlich nur, wenn sie einen liebevoll zärtlichen Klang hat!). Später, wenn sie selber mehr mit ihrer eigenen Lautsprache ausdrücken können, lächeln sie etwas weniger, und es dauert nun auch etwas länger, bis sie zu lächeln beginnen, wenn sie die Mutter hören. Sie warten nun nämlich so lange, bis sie diese auch sehen können. Die kanadischen Psychologen Keith Oatley und Jennifer M. Jenkins meinen dazu: »So früh in der Beziehung zeigen Babys ihren Eltern, wie wichtig sie sind, indem sie sie mit ihren für sie ganz typischen emotionalen Antworten *zu sich heranziehen.*« (Hervorhebung von mir.)

Mit fünf Monaten können die Reaktionen der Kinder schon deutlich länger andauern als die geschilderten Gefühlssignale der Bezugsperson. Bei zehn Monate alten Kindern beobachtete man, dass sie sich viel länger aufmerksam ihrem Spiel widmeten, wenn die Mutter vorher Fröhlichkeit ausgedrückt hatte.

Darüber hinaus scheinen schon Babys auf ihre eigenen Gefühlssignale auch unterschiedliche *Gefühlsantworten* von den Eltern zu erwarten. Wenn sie Angst haben oder sich unwohl fühlen, erwarten sie Trost, vorausgesetzt allerdings, dass sie sich in der Beziehung zu ihren Eltern sicher fühlen.[23]

Sicher ist es mit den Gefühlen ähnlich wie mit der Wahrnehmung, das heißt den Sinnen, aber auch anderen Organsystemen. Was im Laufe der frühen Entwicklung auftaucht, wird, egal wie »reif« es ist, sofort benutzt. Und ähnlich wie bei dem neuen Wahrnehmungsmodell dürfen wir annehmen, dass dabei zwei Prozesse aufs engste miteinander einhergehen: Verfeinerung der einzelnen Gefühle und Zusammenspiel. Wissenschaftlich ausgedrückt: Differenzierung und Integration. Beide Prozesse durchdringen und beeinflussen sich gegenseitig.

Vielleicht sind wie bei der Wahrnehmung die Querverbindungen zwischen den ersten Gefühlen noch eng und zahlreich, anders als später beim größeren Kind. Gefühls- und Stimmungszustände fluktuieren noch stark in den ersten Lebenswochen. Vor allem bei heftigen Gefühlen wie Freude oder Angst beobachten wir oft, wie nah sie beieinander liegen, wenn das Baby plötzlich von Lachen zu Weinen wechselt.

Wie alles, was sich beim Baby entwickelt, braucht alles, was als Anlage bei der Geburt erscheint, ein sozial-affektives Umfeld, um sich entfalten zu können. Wir können uns vorstellen, in wie besonderem Maße dies für Gefühle gilt, die schließlich von Kommunikation leben, wenn schon körperliche Fähigkeiten wie der aufrechte Gang ohne dieses Umfeld nicht auskommen.

Die Beispiele der so genannten wilden oder vieler vernachlässigter Kinder zeigen das in erschütternder Weise. Diese Kinder, die entweder ganz ohne menschliche Gesellschaft oder von ihren Eltern abgelehnt, eingesperrt oder misshandelt aufwuchsen, blieben nicht nur geistig in ihrer Entwicklung zurück. Sie blieben auch kleinwüchsig und lernten zum Teil niemals aufrecht zu gehen. Viele starben, sogar noch nach ihrer Rettung, in zartem Alter.

Gefühle geben dem Menschen im Umgang mit anderen eine besondere Qualität, nämlich die Fähigkeit zu Mitgefühl, wie der amerikanische Hirnspezialist Paul D. MacLean in seinem Buch *Das dreieinige Gehirn*[24] anhand der Entwicklungsgeschichte des Gehirns aufzeigt.

Mitgefühl setzt Verstehen der Gefühle des anderen voraus. Jedoch reicht dazu nicht ein kognitives Verstehen.

Wir können die Empfindungen eines anderen intellektuell durchaus richtig einschätzen, ohne mit ihm mitzufühlen. Wir brauchen noch etwas: eine ethische Basis für die Gefühle mit und zu anderen. Diese Basis kommt anderswoher als aus dem reflektierenden Verstand. Sie wird schon viel früher gelegt.

Eine sichere Bindung – die ethische Basis

Alle Forscher, die Kinder in der Entwicklung ihrer Gefühle beobachtet haben, betonen, wie wichtig dabei die ersten Erfahrungen in der Familie oder mit einer Bezugsperson sind.

Seit Jahrhunderten wissen Menschen, dass die frühe Kindheit für den Lebensweg eines Menschen ausschlaggebend ist. Je nach dem kulturgeschichtlichen Rahmen und der jeweiligen sozialen Schicht maß man die größte Bedeutung mal mehr körperlicher Fürsorge, mal der Erziehung oder im schlimmsten Fall auch einer regelrechten Dressur zu. Das Kind wurde dabei meistens nicht respektiert, sein Kindsein nur als unvollkommene, chaotische Vorstufe zum Erwachsensein angesehen. Bis in unsere Tage ist die Vorstellung, man müsse schon die Allerkleinsten einer Erziehung unterwerfen, damit aus ihnen etwas wird, nicht ganz aus den Köpfen herauszubekommen.

Dabei können wir es besser wissen. Denn die gesamte Forschung und Wissenschaft der letzten 60, 70 Jahre, die sich mit dem Kind beschäftigt, ob Psychoanalyse, vertreten durch hervorragende Gestalten wie Freud, René Spitz, Donald W. Winnicott, Françoise Dolto und Daniel N. Stern, oder Entwicklungspsychologen wie John Bowlby, Mary Ainsworth, Mary Main und Jerome Bruner, zeigt, dass es auf etwas anderes ankommt.

Dieses andere ist die frühe Bindung.

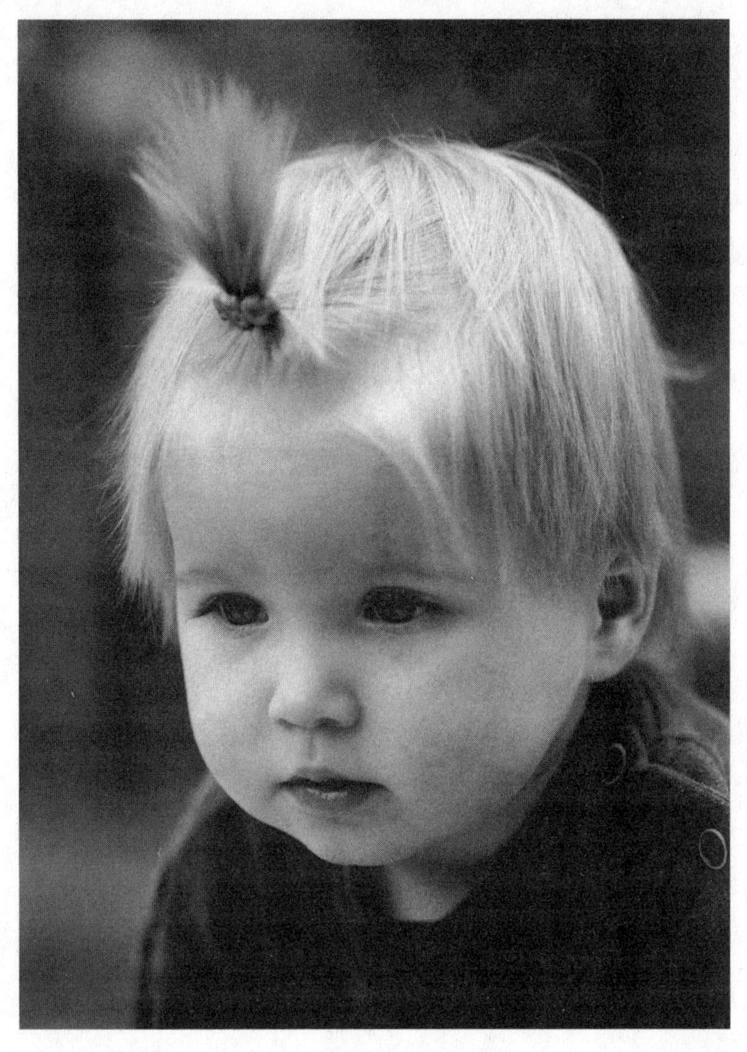

Maxime, ein Jahr

Maxime, ein Jahr

Auf der Suche nach Bedeutung und Entstehung dieser ersten Beziehung entstand eine ganz neue Forschungsrichtung: die so genannte »Attachment-Forschung« (»attachment« – englisch »Bindung«). Sie ist geprägt von den Arbeiten Bowlbys und M. Ainsworths. Heute widmen sich ihr mehrere internationale Forschungsteams, in Deutschland neben anderen insbesondere Klaus und Karin Grossmann von der Universität Regensburg.

Letztere zeigten, dass ein Baby, wenn es auf die Welt kommt, nicht nur die Fähigkeit mitbringt, eine Bindung einzugehen, sondern sogar, sie herauszufordern.[25] Und mehr noch: Ganz gleich, wie sein familiäres oder überhaupt menschliches Umfeld beschaffen ist, es bindet sich unweigerlich an seine »Bezugsperson«, das heißt die Person, die am meisten mit ihm umgeht und es versorgt. Meist ist das die Mutter. Darüber hinaus bindet es sich möglicherweise noch an ein oder zwei andere Personen.

Dabei entdeckten die Wissenschaftler etwas, das uns erstaunt, wenn nicht sogar schockiert. Das Baby bindet sich an die ihm nächste Person nämlich, ganz gleich, ob diese »gut« oder »schlecht« ist, also unabhängig von der Qualität der Fürsorge, die ihm diese Person angedeihen lässt.

Vielleicht ist das doch nicht so überraschend, wenn wir uns bewusst machen, dass der kleine Neuankömmling ja noch keinerlei Erfahrungen mit Menschen hat. Er weiß noch nicht, wie jemand gut oder schlecht mit ihm umgehen kann. Er nimmt, was er bekommt, einfach als gegeben hin.

Wir verstehen, dass es sich bei Bindung also nicht um eine kulturelle Erscheinung handelt. Auch Tiere binden sich. Manchmal sogar auf ganz merkwürdige Weise, wie Konrad Lorenz mit einer kleinen Graugans bewies. Sie sah nach ihrem Schlüpfen als Erstes den Stiefel des Forschers – und folgte ihm von Stund an, als wäre er seine Gänsemama. Auch hier spielte also ganz eindeutig die Qualität des »Bindungspartners« keine Rolle.

Bindung, verbunden mit dem ersten Gefühl für einen Menschen ist also ein biologisch verwurzeltes Verhalten. Und ebenfalls biologisch verwurzelt sind seine ersten Bindungssignale: Anklammern, Weinen, Rufen, Nachfolgen und Protest beim Verlassenwerden. Diese Verhaltensweisen zeigen kleine Kinder in allen Kulturen dieser Erde.

Dieses biologische Grundprogramm, das wir mit Tieren teilen, reicht jedoch beim kleinen Menschen wie sogar schon bei den höheren Säugetieren nicht aus.

Führen wir uns, um das besser zu verstehen, noch einmal vor Augen, dass in der Entwicklung eines kleinen Menschen alles, aber auch alles, was genetisch angelegt ist und irgendwann »erscheint«, ein ganz bestimmtes Umfeld, »environment«, braucht, um sich entfalten zu können. Ohne Licht lernt das Auge nicht sehen. Ohne Luft können die Lungen ihre Atemfunktion nicht ausüben. Ohne die Möglichkeit zu greifen und zu strampeln, kann das Baby seine Bewegungen nicht entwickeln, ohne Gefühlsantworten von der Mutter keine oder nur verkrüppelte Gefühle entfalten.

So ist es auch mit der Bindung. Das Baby bindet sich zwar an die »gute« oder »schlechte« Bezugsperson, damit sich diese Bindung jedoch in all ihren von der Natur vorgesehenen Möglichkeiten entfalten kann, braucht sie eine bestimmte *Qualität.*

Qualität, das wäre zum Beispiel die *Verlässlichkeit* und *Feinfühligkeit* der Mutter. Diese beiden Eigenschaften von Eltern oder Bezugspersonen spielen für das Baby tatsächlich eine entscheidende Rolle. Nicht nur, wie man annehmen könnte, für seine Gefühlsentwicklung, sondern auch für seine Fähigkeit, die

Welt zu erkunden, offen und vertrauensvoll zu sein und damit später selbständig und unabhängig zu werden.

John Bowlby prägte für das, was da in der Qualität der frühen Bindung entsteht, den Begriff »inneres Arbeitsmodell« (»inner working model«). Was das bedeutet, wird vielleicht schon deutlich, wenn wir es einmal, wie Karin Grossmann vorschlägt, das »Erwartungsmodell« oder »Erwartungskonzept« nennen, das ein Kind in seiner ersten Beziehung entwickelt.

Warum Erwartung?

Versetzen wir uns einmal kurz in eine andere Welt, in der Menschen noch in einem nahezu urmenschlichem Zustand, fast unberührt von westlichen Zivilisationen leben. Die Psychologen Karin und Klaus Grossmann reisten mit einem Anthropologenteam in diese andere Welt, nämlich in ein kleines Dorf auf den Trobriandinseln nordöstlich von Papua-Neuguinea. Ihr Ziel war, in dieser von Störungen unberührten »natürlichen« Gesellschaft dreierlei herauszufinden:

Wie Bindung entsteht, welche Bedingungen sie braucht, um sich optimal entfalten zu können und wie sich ihre Qualität für die weitere Entwicklung des Kindes auswirkt.

Sie konnten beobachten, dass sich in dieser dörflichen Gemeinschaft nahezu alle Erwachsenen für die Kleinsten verantwortlich fühlen. So finden diese immer jemanden, der sie auf den Arm nimmt, herumträgt, niemals lässt man sie weinen, ohne sie zu trösten. Ältere Geschwister, aber auch andere Erwachsene, die gerade in der Nähe sind, übernehmen das mit der gleichen Selbstverständlichkeit wie natürlich die Mütter, die fast den ganzen Tag mit ihren Babys verbringen. Sie gehen dabei ihrer Arbeit nach. Nahrung und Zärtlichkeit an ihrer Brust bekommen die Kleinen, sooft sie wollen. Die Babys übernehmen bei fast allen Interaktionen die Initiative.

Eine Anthropologin von der Berliner Humboldt Universität, Renate Siegmund, vervollständigte diese Beobachtungen. Sie versuchte mit kleinen, sehr sensiblen Messgeräten, welche die Mütter und Babys Tag und Nacht am Arm trugen, herauszufinden, wie weit sie in ihren Aktivitäts- und Ruherhythmen einschließlich der Schlafphasen aufeinander abgestimmt waren.

Das Resultat, das die Wissenschaftlerin auf einem Anthropologentreffen in Berlin vorführte, war verblüffend. Die Kurven, welche die Messgeräte über 24 Stunden aufgezeichnet hatte, zeigten, auf eine Leinwand übereinander projiziert, bei jeder Mutter und ihrem Kind ein fast identisches Bild, sie deckten sich nahezu. Das bedeutet, jede auch nur winzigste Bewegung eines Babys während des Tages oder der Nacht wird von der Mutter fast im gleichen Augenblick beantwortet. Sie bewegen sich und schlafen fast im Gleichklang. Natürlich schlafen die Babys bei ihren Müttern. Häufig, so beobachtete die Wissenschaftlerin, legen sie sich dabei so, dass ihr Gesicht nahe an dem der Mutter ist. Amerikanische Wissenschaftler äußerten auf einem internationalen Schlafkongress in Boston, dass diese Nähe dem Kind nicht nur emotionale Sicherheit gebe, sondern wahrscheinlich auch das noch unreife Atemzentrum stimuliere. Der Atem der Mutter, ebenso wie ihre leichten Bewegungen während des Schlafs, halten den Atemrhythmus des Kindes sicher in Gang. Es fällt in dieser Körpernähe mit der Mutter nicht in zu lang dauernde Tiefschlafphasen, die seinem Atemrhythmus gefährlich werden könnten.[26]

Man braucht nicht Psychologe zu sein, um sofort zu verstehen, dass sich bei diesen Kindern von Anfang an ein Gefühl sicherer Geborgenheit entwickelt. Jedoch würden wir als Kehrseite der Medaille erwarten, dass die Kleinen andererseits total »verzogen«, dass sie klammerig und unselbständig würden und dass sie sich später als kleine herrschsüchtige Tyrannen entpuppen müssten. Weit gefehlt. Die Wissenschaftler im Dorf Tauwema konstatierten das krasse Gegenteil dieser Erwartungen. Die Babys wurden nicht nur zu freundlichen und hilfsbereiten Kleinkindern. Sie waren auch besonders früh schon autonom.

Diese Kinder, die nicht von allem fern gehalten werden und ihre Neugier und ihren Forscherdrang ungehindert ausleben können, lösen sich leichter aus der elterlichen Bindung. Diese Lockerung gelinge leichter, resümiert die Verhaltensforscherin Margret Schleidt in einem Bericht über die Mutter-Kind-Beziehung bei den Trobriandern, wenn die Bindung anfangs sehr eng und sicher sei: »Das sieht man im individuellen Fall, also bei einzelnen Kindern, wie auch im Vergleich zwischen Kulturen.«[27] Im Grunde machen wir in unserer Kultur vieles eher umgekehrt: Wir sind häufig zu streng mit Babys und Kleinkindern und paradoxerweise gleichzeitig überängstlich, dagegen zu nachgiebig mit den größeren.

Die Kinder der Trobriander entwickeln schon in den ersten Lebenswochen und Monaten so viel Vertrauen in Menschen, sie haben so positive Erwartungen, dass sie darum auch viel mehr Mut als Kinder bei uns haben, Dinge zu erkunden und selber zu machen.

Verstärkt wird das alles dadurch, dass ihnen die Erwachsenen viel mehr zutrauen und sie mehr allein machen lassen, als wir es mit unseren Babys und Kleinkindern tun. Die Trobriandbabys werden nicht von allem fern gehalten. Das ist auch gar nicht nötig, denn es sind immer erfahrene ältere Geschwister oder Erwachsene in der Nähe, die bei Gefahr eingreifen könnten. Auch wenn dies geschieht, werden die Kleinen nicht gescholten. Man entzieht nur den gefährlichen Gegenstand ihrer Aufmerksamkeit. Da die Kinder ständig Gelegenheit haben, die Erwachsenen bei ihrem Tun zu beobachten und alles gleich selber spielerisch auszuprobieren, lernen sie viel früher, mit Gegenständen wie einem Messer oder auch mit Feuer umzugehen. Sie erfahren dabei früher als unsere Kinder, was sie sich selber zutrauen können.

In all den gemeinsamen Tagesaktivitäten von Eltern und Kindern kristallisierte sich für die Forscher eines als besonders wichtig für die Qualität der Bindung heraus: Das ist die *Vorhersehbarkeit* des elterlichen Verhaltens und der elterlichen Gefühle. Ein Kind versucht schon, wenn es gerade geboren ist, möglichst schnell herauszubekommen, woran es mit seiner Mama ist. Wie reagiert sie, wenn es schreit? Kommt sie, um es zu trösten, zu füttern, mit ihm zu spielen? Kann es auf sie zählen, wenn es sich wehgetan hat? Nimmt Mama es in den Arm, wenn das Kind bei einer kurzen Trennung Angst gehabt hat?

Für das Kind schafft die Vorhersehbarkeit solcher Verhaltensweisen und Reaktionen der Mutter eine sichere Struktur in seiner inneren Welt. Es bekommt dadurch Halt und weiß darum, woran es sich halten kann. Es fühlt sich sicher.

Alles kann auch anders sein. Die Mutter eilt vielleicht nicht herbei, wenn es schreit oder ruft. Sie tröstet es nicht, wenn es sich wehtut oder traurig ist. Sie nimmt es nach einer Trennung nicht in den Arm. Schlimmer noch, sie weist es vielleicht sogar barsch zurück. Oder: Sie verhält sich mal so und mal so. Heute tröstend, morgen abweisend.

Dann greift das Kind, wenn es Halt sucht, ins Leere. Es lernt nicht, das Verhalten anderer Menschen einzuschätzen. Nichts ist sicher. Es traut sich keine Initiative mehr zu, weder in Gefühlsäußerungen noch im Erkunden der Welt. Wer weiß, was ihm Schlimmes passiert? Kinder mit solchen Müttern können sich nicht sicher fühlen.

Drei Qualitäten spielen also nach den Beobachtungen der Forscher eine besondere Rolle für die besondere Art der Bindung eines Kindes an seine Bezugsperson: *Feinfühligkeit, Vorhersehbarkeit und Verlässlichkeit.*

In der Ungestörtheit der natürlichen Welt des Dorfs Tauwema erwies sich die Bindung der Babys und Kleinkinder an ihre Mütter als optimal, wenn diese Bedingungen erfüllt waren. Und das wurden sie meist.

Wenn ein Kind am Lebensanfang in allen Gefühlsappellen und Handlungen so viel Vertrauen haben darf, können seine *Erwartungen* an die Eltern und auch andere Menschen überwiegend positiv sein. Es lernt dabei gleichzeitig, dass man auch von ihm Gutes erwartet, nicht, dass es »böse«, »ungezogen«, »dumm« oder unfähig ist.

So entsteht das, was Bowlby das »innere Arbeitsmodell« nannte, was wir mit »inneres Erwartungsmodell« übersetzt haben. Es geht um die Erwartungen, die ein Mensch an andere, aber auch an sich selber haben darf. Um Vertrauen und Selbstvertrauen. Danach handelt und »arbeitet« er im Leben. Dies wird sein Handlungs- und Gefühlsmodell.

Auch wenn bei uns die Bedingungen, in denen Babys und Kleinkinder aufwachsen, für die frühe geborgene Bindung nicht so günstig sind wie auf den Trobriandinseln, weil sie von vielen Zivilisationsfaktoren gestört werden, so entsteht doch auch bei uns das »innere Erwartungsmodell« bei Kindern in der gleichen Weise.

Mit ihm keimt und wächst auch die ethische Basis für menschliches Verhalten.

Eine Bindung zwischen Bezugsperson und Kind kann sicher oder unsicher sein, das zeigten nicht nur Untersuchungen des Forscherteams auf den Trobriandinseln, sondern auch zahlreiche langjährige Beobachtungen in Amerika und Deutschland. Je nachdem ist auch das innere Erwartungsmodell und damit seine ethische Basis sicher oder unsicher.

Was bedeutet »ethische Basis«? Es bedeutet zum Beispiel, mit leidenden Menschen mitzufühlen oder einem anderen nicht wehzutun. Mitgefühl für andere kann ich nur haben, wenn ich selber ausreichend Mitgefühl erfahren habe. Warum sollte ein Kind Mitleid mit dem Schmerz eines anderen haben, wenn es selber überhaupt nie erfahren hat, wie es ist, dass da eine Mutter ist, die mit einem solchen Mitfühlen auf seinen Schmerz reagiert? Vielleicht hat es unter negativen Bedingungen – in einer unsicheren Bindung – gelernt: Wenn ich mir wehtue, nimmt niemand Notiz davon oder ich werde angeschrien und bestraft. Da es sich dabei ganz schlimm fühlt, wird es sich entweder zurückziehen und besonders klein und unauffällig machen oder das schlimme Gefühl mit Aggressivität an einen anderen abzugeben versuchen – und nun selber wehtun. Sein Leben wird von Misstrauen bestimmt sein. Für Mitgefühl ist in seiner Welt kein Platz.

Die Grossmanns ebenso wie Psychologenteams in Amerika haben diese These in Längsschnittuntersuchungen in Deutschland und den USA bestätigt gefunden. Dazu wurden Kinder am Ende des ersten Lebensjahrs, im Kindergarten- und später noch einmal im Schulalter mit bestimmten Tests beobachtet.

Um zu erkennen, ob die Kleinkinder ihre familiäre Bindung als »sicher« oder »unsicher« empfinden, benutzte man eine von der amerikanischen Entwicklungspsychologin Mary Ainsworth vielfach erprobte Testsituation: die »strange situation« – zu deutsch: »Fremdensituation«, eine Sequenz von Trennung und Wiederfinden. Das Kind spielt dabei zunächst mit seiner Mutter in einem ihm unbekannten Raum. Dann kommt eine fremde

Person herein. Die Mutter verlässt den Raum. Nach einer Weile kehrt sie zurück. Sie und die fremde Person lassen nun das Kind allein. Dann kommen zuerst die fremde Person und schließlich auch die Mutter zurück. Während dieser Trennungs- und Wiederbegegnungssituationen wird das Kind durch eine Einwegscheibe beobachtet und mit Video gefilmt. Jede seiner Reaktionen, nicht nur auf die Menschen, sondern auch sein Umgang mit dem Spielzeug, wird genau festgehalten und ausgewertet.

Dabei kristallisieren sich in den mehr oder weniger emotionalen Verhaltensreaktionen der Kinder vor allem bei der Rückkehr der Mutter deutlich zwei voneinander unterscheidbare Gruppen heraus: diejenigen, die sich als »sicher gebunden«, und andere, die sich als »unsicher gebunden« oder »vermeidend« charakterisieren lassen.

Die »sicher Gebundenen« eilten in der Regel der Mutter bei ihrer Rückkehr freudestrahlend entgegen und schmiegten sich gleich an sie. Die »Unsicheren« dagegen spielten scheinbar ungerührt weiter, nahmen keine Notiz von der Mutter und wichen sogar dem Blickkontakt mit ihr aus. Manche von ihnen schienen hin- und hergerissen, ob sie die Mutter vermeiden oder sich ihr nähern sollten.

Ergänzende Untersuchungen biologischer, das heißt hormoneller Begleitreaktionen erhärteten diese Beobachtungen. Der im Speichel feststellbare Spiegel des Stresshormons Cortison war bei den Kindern, die nach der Ankunft der Mutter, ohne Notiz zu nehmen, weiterspielten, deutlich höher. Er deutete auf einen starken inneren Stress hin. Oberflächliche Beobachter könnten sich täuschen lassen und glauben, gerade diese Kinder seien besonders autonom. Das Gegenteil ist der Fall.

Im Kindergartenalter, als die gleichen Kinder wieder beobachtet wurden, trat zutage, dass die beiden Gruppen sich immer noch deutlich voneinander unterschieden. Allerdings waren noch einige die Grundtendenz verstärkende Verhaltensweisen hinzugekommen:

Die vorher als »sicher gebunden« eingeordneten Kinder waren offener, neugieriger, kooperativer im Spiel mit den Gefährten. Sie gingen vertrauensvoll und mitfühlend aufeinander zu. Bei Angriffen von anderen wehrten sie sich prompt und direkt.

Die mit einem Jahr als »unsicher gebunden« Charakterisierten dagegen waren ihrer Umwelt gegenüber eindeutig weniger neugierig und offen. Sie gingen nicht vertrauensvoll, sondern offensichtlich mit einer negativen Erwartung mit ihren Spielgefährten um. Sie zeigten kaum Mitgefühl, wenn einem anderen Kind ein Missgeschick widerfuhr. Sie waren weitaus häufiger und in unvorhersehbarer Weise aggressiv gegen die Altersgenossen. Es fiel den Beobachtern auch auf, dass ihre aggressiven Attacken sich häufig nicht direkt auf ihr eigentliches Ziel, ein Kind, sondern heimtückisch auf sein Spielzeug richteten. Sie machten zum Beispiel etwas kaputt, was das andere aufgebaut hatte. Diese Kinder scheinen ihre Grunderfahrung der negativen Erwartung an andere, das heißt, dass man sie sowieso zurückweisen und nicht freundlich aufnehmen würde, immer wieder zu überprüfen. Natürlich bestätigt sie sich auf diese Weise stets aufs Neue. Die anderen Kinder gehen schließlich auf Distanz.

Die anfänglich positive oder negative Bindungserfahrung zieht so, sich im Laufe der Jahre verstärkend, immer weitere Kreise. Umfasst immer mehr Verhaltensweisen, die in das eine oder andere Muster passen.

All das ist zu keinem Zeitpunkt *determiniert*, festgelegt. Jedoch haben die früh erworbenen Erwartungen an andere Menschen und sich selber die Eigenschaft, eine sehr zähe Grundtendenz zu bewahren. Es ist wahrscheinlicher, dass sie immer wieder bestätigt wird, als dass sie in ihr Gegenteil verkehrt wird.

Mit der frühen Bindung werden also Weichen gestellt, die nur schwer wieder umzuschalten sind. Da sich, wie wir häufig betont haben, in den ersten Monaten die menschlichen Beziehungen ganz überwiegend in Gefühlen abspielen, sind diese früh erworbenen Grundlagen später kaum durch Verstandesargumente zu erschüttern.

So haben Familien allen Grund, besonders viel Zeit, Geduld, Einfühlung und Zuverlässigkeit am Lebensbeginn ihrer Kinder aufzubringen, auch wenn ihr eigener Lebensplan dadurch zeitweise in Unordnung gerät. Sie »investieren« diese Mühen für eine unendlich viel längere Zeitspanne. Ihre Kinder werden für ein ganzes Leben nicht nur positiver, offener, erfolgreicher und wahrscheinlich »glücklicher« sein. Sie werden auch eine solide Gefühlsbasis haben. Sie werden mit anderen Menschen mitfühlen können und darum auch häufiger solche positiven Gefühle zurückbekommen.

Liebe zu unseren Kindern bedeutet in den ersten Lebensmonaten und -jahren: feinfühlig, verlässlich und vorhersehbar zu sein.

Das Gefühl des Alleinseins

Ein Gefühl, bei dem das Baby ganz besonders auf eine sichere Bindung angewiesen ist, erlebt es, wenn es allein ist. Jedes Baby wird schon früh damit konfrontiert. Da Mütter bei uns ihre Babys nicht den ganzen Tag in Körperkontakt bei sich tragen oder haben, muss schon ein Neugeborenes tagsüber viele kürzere oder längere Zeitabschnitte allein sein. Und für kaum etwas hat es so feine Antennen wie dafür. Ich denke, es spürt die Nähe oder Abwesenheit seiner Mutter sogar im Schlaf.

Allein zu sein ist ein Gefühl, das schon für ein Baby komplex und schwierig ist. Schließlich schlagen wir uns ein Leben lang damit herum.

Was enthält dieser Zustand für ein Kind? Ähnlich wie auch für uns eine Reihe von Gefühlen wie Verlassenheit, Angst, Unsicherheit, Orientierungslosigkeit, nur bei ihm sind sie sicher viel mächtiger, denn es erlebt sie zum ersten Mal.

Zunächst erzeugt Alleinsein beim Baby in den ersten Wochen sicher ganz einfach Angst. Eine sinnvolle Angst, denn wenn da niemand in der Nähe wäre, der sich um das hilflose Wesen kümmerte, würde es zugrunde gehen. Es versteht das alles zwar noch nicht, aber es gibt ein Warnsystem in ihm, das ihm signalisiert: Gefahr droht. Darum schreit es: Mama soll in der Nähe bleiben.

Jedoch erlebt das Baby noch etwas anderes als diese biologische Bedrohung. Die Mutter gehört nach seinem Körpergefühl noch ganz nah zu ihm, es fühlt sich eins mit ihr. Es muss sich dieser Nähe durch seine Wahrnehmungen und Empfindungen versichern, am besten sie mit dem Nahsinn Haut spüren können. Man könnte die Wahrnehmungen des Babys auf der einen Seite den Nahsinnen – dem Taktil-körperlichen-Fühlen, Gleichgewicht-Spüren, Riechen, Schmecken – und andererseits den Fernsinnen – Sehen und Hören – zuordnen. Am Lebensanfang haben die Nahsinne den Vorrang, denn die Natur hat es ja so vorgesehen, dass dieses kleine, eigentlich verfrüht zur Welt gekommene Menschenkind noch dicht am Körper seiner Mutter lebt. Später, wenn es ein wenig das Weite sucht und die Welt erkundet, helfen ihm die Fernsinne Sehen und vor allem auch

Hören, die Bindung zur Mutter über eine gewisse Distanz aufrechtzuerhalten. Die Mutter spüren zu können, mit dem Mund, mit der Haut, den Händen, ist darum für ein Baby in den ersten Wochen ganz besonders wichtig und beruhigend.

Das Baby braucht die Mutter aber auch noch für etwas Drittes: sein Erleben. Denn in ihrem Blick und ihrem Lächeln finden seine Gefühle einen Sinn, einen *zwischenmenschlichen* Sinn. Was Philosophen Intersubjektivität nennen, beginnt sich so früh schon zu entfalten. Ohne Mamas Gesicht und ihre Stimme, die zu ihm spricht, ohne ihre Hände, die es streicheln, ohne ihren Geruch, der ihm Vertrauen gibt, verliert es einen Teil seiner Orientierung.

Ein Viertes könnten wir in seiner Bedeutung für das Gefühl des Alleinseins leicht vergessen: Das Zeitgefühl ist noch kaum ausgeprägt. Seine inneren chronobiologischen Rhythmen geben dem Baby einen Takt. Aber es muss in seinem neuen Dasein einen ganz neuen Takt finden. Was ist für ein Neugeborenes »gestern« oder auch »vorhin« oder »eben«? Was kann »morgen« oder »nachher« oder »jetzt gleich« bedeuten? Vergangenheit und Zukunft sind noch ohne Perspektive. Das Baby kann aus diesen Zeiten, die im Einsamkeitsgefühl eines größeren Kindes oder Erwachsenen immer als »Dreiheit« in der Gegenwart enthalten sind, noch nichts »herausholen« – keine Erinnerung und auch keine Erwartung. Es hat ja noch nichts »hineintun« können. Wo sind Erfahrungen, die es stützen, wo sind Hoffnungen, die es trösten könnten? Für das Neugeborene gibt es noch nicht die Dreiheit Gegenwart, Vergangenheit und Zukunft. Sie fallen in eins zusammen: Mama. Wenn sie da ist, existiert es, und die Welt hat einen Rahmen, gibt es Zeit-Räume. Wenn sie fort ist, verliert alles seine Konsistenz.

So etwa dürfen wir uns wahrscheinlich das Gefühl des Alleinseins beim Baby in den ersten Tagen vorstellen. Das Kind bringt jedoch, wie wir es vielfach beschrieben haben, viele »Kompetenzen« mit auf die Welt, um sich mit Sinnen und Gefühlen sofort zu orientieren. Und es zeigt dabei jene »Gier«, die alles sehr schnell vorwärts treibt. Jede kleinste Erfahrung, jedes winzigste, für uns vielleicht unbedeutende Erlebnis saugt es auf. Sein Nervensystem und mit ihm sein noch ungeheuer plastisches (entwicklungsfähiges) Gehirn speichern jede »Information« und bilden damit neue Strukturen, die noch »gierigere«, aufnahmebereitere Eigenschaften haben. Schon in den ersten Stunden und Tagen reagieren alle seine Systeme wie ein Schwamm, der zusehends wächst und anschwillt, indem er sich vollsaugt.

Wir merken das alles fast nicht, denn das kleine, meist schlafende Wesen sieht so ungeheuer harmlos aus. Das ist auch gut so, denn könnten wir uns vorstellen, was sich da am Anfang alles in ihm entfaltet, würden wir uns nur beunruhigen und es womöglich in seiner »Entwicklungsarbeit« stören. Wir bekommen davon als Eltern meist gerade so viel mit, wie gut ist, um intuitiv »richtig« darauf einzugehen. So können wir Schritt halten, den Takt finden, den nur unser, dieses besondere Baby uns geben kann.

Während wir es also kaum wahrnehmen, sammeln sich hinter dieser niedlichen runden Stirn tausend kleine Erfahrungen wie »Mama spricht mit mir, streichelt mich, gibt mir die Brust, wenn ich hungrig bin, kommt, wenn ich schreie« , die nun doch schon so etwas Ähnliches wie eine ganz kleine Vergangenheit und Zukunft bilden. Winzige »gute« Erinnerungsstückchen lassen ein Gefühl der Sicherheit in der Gegenwart entstehen und Vertrauen in das, was gleich kommt.

Und dann sind wir manchmal erstaunt, weil unser Baby eine ganz besondere Fähigkeit zeigt, die wir nicht erwartet hätten.

Manche halten sie allerdings auch für selbstverständlich. Das aber ist sie nicht: die Fähigkeit, allein zu sein.

Ist es nicht erstaunlich, wie früh Babys mit Alleinsein schon umgehen können? Eine Mutter bleibt an der Tür zum Kinderzimmer stehen, entzückt von dem Schau- und Lautspiel, das sich ihr bietet. Das Baby liegt vielleicht ganz ruhig auf der Seite. Seine Augen schauen unverwandt auf das Händchen, das sich neben seinem Köpfchen zart bewegt. Wie zufällig, scheint es. Dann aber kann die Mutter beobachten, dass das Kind versucht, seine Hand immer wieder in ähnlicher Weise in sein Blickfeld zu bekommen. Es probiert seine Fingerchen aus. Sie kommen ihm näher und ferner, öffnen und schließen sich. Gelegentlich lässt das Baby einen winzigen Laut hören. Für die Mutter klingt er wie ein kleines Jauchzen. Sie schaut wie gebannt. Nach einem Weilchen beginnt das Baby ein wenig unruhig zu werden. Irgendetwas scheint nicht mehr im Lot zu sein. Es quengelt gnatterig vor sich hin. Das Händchen geht aufgeregt hin und her, und plötzlich gleitet, wie vom Blick angesogen, der Daumen in den Mund. Das Quengeln ist verstummt. An seiner Stelle hört die Mutter jetzt leises, ruhiges Nuckeln.

Später nimmt das Kind dabei vielleicht noch ein Schmusetuch, ein Kissen oder ein Stofftier zu Hilfe.

Diese kleinen Daumen- und Stoffnuckler haben oft einen schlechten Ruf, und manche Eltern versuchen sogar, ihnen die Nuckelei abzugewöhnen. Sie sei doch eine schlechte Angewohnheit. Das Baby brauche nicht dauernd einen Ersatz für Fläschchen oder Mutterbrust zum Nuckeln.

Gott sei Dank wissen es die meisten Mütter besser. Sie verstehen, ohne viel darüber nachzudenken, dass all dies, was wir hier beschrieben haben, weder Nahrungsersatz noch Sucht ist. Wenn das Baby mit seinen Händchen und Fingern spielt, wenn es den Daumen in den Mund nimmt, daran saugt, wenn es dabei gleichzeitig zart mit einem Tuch oder einem Schmusetier an den Lippen oder der Nase entlangreibt, dann zeigt es seine erste phantasievolle Fähigkeit, mit dem Alleinsein umzugehen. Und viel mehr noch, es »zaubert« sich seine Mutter herbei. Die erfahrenen Kinderärzte Stern und Winnicott sehen darin eine bemerkenswerte kreative Leistung des Kindes. Es »schafft« sich etwas, das ihm erlaubt, sich fühlend seine Mutter vorzustellen. Jede Mutter sollte sich darüber freuen. Denn hier zeigt sich, dass schon das wenige Tage oder Wochen alte Baby nicht nur ein biologisches Wesen, ein »kleiner Schietbütel« oder ein »kleines Scheißerchen« ist, dessen einziges Trachten der Nahrungsaufnahme und dem Ausscheiden gilt.

Der Daumen, der Stoffzipfel, das Plüschtier sind eben keineswegs Ersatz für Nahrung, sie sind auch nicht einfach Ersatz für Mama. So leicht ist sie schließlich nicht zu ersetzen. Nein, sie sind eher Symbole. Winnicott nannte sie »Übergangsobjekte«. Sie führen wie später viele Lieblingsspielzeuge ein sozusagen feenhaftes Leben in einer Zwischenwelt, zwischen dem Baby und der Mutter, aber auch zwischen der Realität und der Imagination. Die Mutter, die gebannt vom Tun ihres Babys an der Tür seines Zimmers verharrt, kann stolz sein: Ihr Kind ist so etwas wie ein kleiner Künstler. Es beginnt bereits, sich eine innere Phantasiewelt zu schaffen.

Von diesen kreativen Fähigkeiten, die sich später in anderen Spielen, vor allem den Rollen- und Als-ob-Spielen zeigt, führt eine gerade Linie zu den erstaunlichen schauspielerischen, malerischen, musikalischen und rhythmisch-tänzerischen Ausdrucksweisen, die wir bei Kleinkindern beobachten. Wie viele von ihnen sind wirkliche Künstler!

Seine Kreativität stellt das Baby anfangs ganz in den Dienst seiner Gefühle und ihrer Bedürfnisse. Mit seinem Nuckeln an Daumen, Stofftieren oder -zipfeln zeige es seine Zärtlichkeit, sein liebevolles Verhalten, erklärt Winnicott den Müttern. »Kann irgendetwas wichtiger sein?« fügt er hinzu. Und er erinnert daran, wie manche sich später über ein liebloses kühl-abweisendes Kind beklagen. Darum darf sich jede Mutter freuen, deren Kind so seine Fähigkeit zu Zärtlichkeit ausdrückt, mit einer eigenen Leistung seiner Vorstellungskraft.

Hier zeigt sich schon eine kleine Person, die Vertrauen in die Beziehung zur Mutter gewonnen hat. Die sichere Bindung zu einer verlässlichen Bezugsperson trägt ihre ersten Früchte. Damit lässt sich sogar das so schlimme Gefühl des Alleinseins überwinden.

Mit diesem rein symbolischen Tun und Spielen kann sich das Kind erfreuen, trösten, sein Unwohlsein und seinen Kummer überwinden, ohne dass seine biologischen Instinkte dabei befriedigt würden.

Daniel N. Stern meint, das Leben eines Säuglings habe »einen durch und durch sozialen Charakter, so dass die meisten Dinge, die er tut, fühlt und wahrnimmt, sich in verschiedenartigen Formen sozialer Beziehungen abspielen.« Der amerikanische Entwicklungsspezialist nennt die Übergangsobjekte »evozierte Gefährten«. Evoziert, weil vom Gedächtnis herbeigerufen. »Tatsächlich sind wir dank des Gedächtnisses selbst (und vielleicht besonders) während des ersten Lebensjahres nur selten allein. Mit realen äußeren Partnern interagiert der Säugling zeitweise«, sagt Stern, »mit evozierten Gefährten fast immer. Die Entwicklung setzt einen ständigen, für gewöhnlich stummen Dialog zwischen den beiden Partnern voraus.«[28]

An diesen Spielen können wir buchstäblich mit ansehen, wie

sich zwischen dem Baby und der Mutter, zwischen ihren beiden subjektiven Welten, von Anfang an etwas aufbaut, das nicht aus Materie besteht und sich doch als besonders konsistent, haltbar erweist. Es ist wie eine magische Brücke. Sie bleibt sogar intakt, wenn die Mutter fort ist. Das Material, aus dem diese Brücke errichtet ist, sind Gefühle und Phantasie.

Später wird die Mutter diese »Vorschläge« ihres Kindes aufgreifen, indem sie tausend kleine Phantasiespiele mit ihm spielt, in denen Püppchen und Stoff- oder Gummitiere und sogar Klötzchen oder Garnrollen als lebende Wesen, ja als Personen agieren. Mama und Kind statten sie gemeinsam mit menschlichen Gefühlen aus.

Die meisten Eltern erkennen also intuitiv, indem sie selber mit dem Kind spielen, die Bedeutung dieser Übergangsobjekte und vorgestellten Gefährten. Sie respektieren die kleinen, dem Baby lieb gewordenen Schmusetiere, -decken, -lappen und -kissen. Sie sehen zu, dass sie immer zur Hand sind, und sie tragen Sorge, dass ihnen auch bei aller Unsansehnlichkeit der besondere, dem Baby vertraute Geruch nicht verloren geht. Waschen würde ihnen einen Teil ihrer Magie nehmen. Schließlich sind sie den Müttern wertvolle kleine Helfer, vor allem, wenn sie ihr Kind tagsüber für einige Zeit in die Krippe oder zur Tagesmutter bringen müssen.

Eine junge Frau, Rachel, die schon in den ersten Monaten nach der Geburt ihrer Tochter ihre Berufstätigkeit wieder aufnehmen musste, erklärte ihrer kleinen Justine jeden Morgen mit Worten und Gesten alle ihre vorbereitenden Handhabungen für den Tag und die bevorstehende Trennung. Das hörte sich immer etwa so an: »Siehst du, Mama macht sich jetzt fertig, um zur Arbeit zu gehen. Justine bekommt auch ihr Jäckchen an. Sie geht zu Tata. Da, schau mal, hier ist Bibi, dein Püppchen. Es

Maxime, ein Jahr

geht mit dir zu Tata ... Dann hole ich dich wieder ab und wir gehen zusammen zu Papa nach Hause.«

So wie Rachel machen es instinktiv die meisten Mütter in einer solchen Situation. Sie kennen die Bedeutung des Schmuseobjekts, das nie fehlen darf. Und sie wissen, wie wichtig dieses ständig wiederholte Handlungsritual mit den begleitenden Worten ist: Es schafft Sicherheit, Vertrauen, Verlässlichkeit. Dem Kind, und sei es noch so jung, fällt es so leichter, die tröstliche, immer bereitstehende Erinnerung herbeizurufen.

Dass auch Mütter und gerade die, die sich so früh nach der Geburt tagsüber von ihren Babys trennen müssen, manchmal auf solche Übergangsobjekte zurückgreifen, zeigt noch einmal das Beipiel Rachels. Sie gestand mir, dass auch sie stets ihr »Schmusetuch«, ein benutztes Lätzchen von Justine, mit zur Arbeit nahm. »Ich hatte es immer in der Tasche. Und wenn ich es gar nicht mehr aushielt, ging ich kurz einmal hinaus und schnupperte daran. Dann war mir, als sei sie bei mir. Ich glaube, ohne diesen vertrauten Geruch von Justine in dem Lätzchen hätte ich es gar nicht ausgehalten.«

Das Gefühl »Alleinsein« kommt in den wissenschaftlichen Katalogisierungen von Emotionen oder Gefühlen nicht vor, eher schon das der Trennung oder des Verlusts. Und doch ist diese Gefühlserfahrung von so großer Bedeutung für unser ganzes Leben. Ein wenig kann man den Erfolg, das Gelingen von Entwicklung daran ablesen.

Bei Entwicklungsstillständen kommt sowohl dem Kind als auch dem Erwachsenen die Fähigkeit, mit Alleinsein umgehen zu können, weitgehend abhanden. Das geschieht zum Beispiel, wenn einem Kind Liebe und Verlässlichkeit fehlen, wenn es unter sozialer und affektiver Deprivation leidet. Dann benutzt es keine Schmusetücher und Fingerspiele, dann schafft es sich keine Übergangsobjekte mehr. Es kann die Mutter nicht herbeizaubern, denn seine kleine innere Welt, seine Phantasie und Kreativität gehen ihm verloren. Erinnern wir uns an die erschütternden Beispiele der Babys im Waisenhaus in Sierra Leone, die sich an die Gitterstäbe ihres Bettchen gepresst nicht einmal mehr für ihr Fläschchen interessierten. Denken wir an all die seelisch und sozial einsamen Babys und Kleinkinder, die nicht wachsen und gedeihen und in stereotypen Körper- und Kopfbewegungen nur noch eine sensorische Stimulation suchen. Dieses Phänomen, das man lange nach René Spitz »Hospitalismus« genannt hat, zeigt, was der Verlust der inneren Welt eines Babys bedeutet. Diese Kinder vegetieren in einer Art Ausgestoßenheit ohne Erinnerung an Verlässlichkeit und Liebe, ohne Trost und Hoffnung. Sie verfügen über keine Magie mehr, um eine Brücke über das Alleinsein zu schlagen. Bei ihnen ist alles Stillstand.

Frühe Ängste bei Babys und Kleinkindern

Wie wir alle haben auch die Allerkleinsten nicht nur Angst vor realen Gefahren. Allein die bloße Erwartung und vor allem die Vorstellung einer Gefahr, eine Fähigkeit, die den Menschen auszeichnet, genügen, um Angst hervorzurufen. Manchmal ist das durchaus sinnvoll, denn es gibt ja so etwas wie die Ankündigung einer Gefahr in gewissen Situationen. Angst ist eine Überlebensstrategie. Manchmal haben wir nachts Angst wegen eines Geräuschs. Dann stehen wir auf und sehen nach. Wenn wir festgestellt haben, dass es sich um nichts Ungewöhnliches oder Bedrohliches handelte, ist unsere Angst verflogen. Sie hätte uns jedoch geholfen, schnell zu reagieren, wenn es wirklich notwendig gewesen wäre. Angst erlaubt uns also, Gefahren zu antizipieren.

Ein Baby und Kleinkind kann damit allerdings nicht viel anfangen. Denn es ist ja hilflos, und vieles versteht es noch nicht. Diese Hilflosigkeit und noch später die physische Unfähigkeit, zum Beipiel wegzulaufen, gepaart mit der Unerklärlichkeit mancher für uns ganz banaler Dinge oder Ereignisse, vermehren die Ängste des Kindes. Manchmal wachsen sie ins Unermessliche an. Wir sollten uns darum immer wieder vor Augen führen, dass die Welt außerhalb von Mama und Papa für das Kind ein weithin unverständlicher und oft genug unheimlicher Ort ist. Und ebenso unverständlich sind ihm seine Gefühle angesichts dieses Erlebens.

Das beginnt mit dem eigenen Körper. Erste Ängste werden durch Körperempfindungen wie Hunger, Bauchschmerzen, Erschöpfung hervorgerufen und vielleicht auch, meint Alicia Lieberman[29], durch das dringende Bedürfnis nach zärtlichem Körperkontakt, Schmusen, nach In-den-Arm-genommen-Werden oder Gehalten-Werden.

Damit dies geschieht, ist das Baby auf die Eltern oder eine andere Bezugsperson angewiesen. Es hängt auch davon ab, *wie* die Mama diese Wünsche erfüllt. Ob sie sich dabei hastig, sachlich-kühl oder uninteressiert verhält oder ob sie Bedürfnisse des Babys wirklich mit Liebe und Hingabe erfüllt. Nur dann verschwindet seine Angst.

Je nach diesem Verhalten bildet das Baby seine Erwartung an die Beziehung und an Beziehungen überhaupt aus.

Eine zugewandte, feinfühlige und verlässliche Mutter prägt die Erwartungen ihres Kindes positiv (siehe auch: »Eine sichere Bindung – die ethische Basis«, S. 146). Eine wenig zugängliche, zu sachliche, nicht so verlässliche Mutter prägt sie negativ.

Wenn es erbärmlich weint, kann sie es zum Beispiel liebevoll herumtragen und trösten, bis es sich beruhigt hat oder es einfach sachlich in sein Bett packen. Erhalten die Appelle des Babys allzu oft eine so negative Antwort wie im zweiten Fall, bleibt es zu häufig ohne Hilfe in seiner inneren Stresssituation, dann wird es sich nach und nach zu einem ständig ängstlichen Kind entwickeln. Es wird häufig weinen und später nicht genug mit Sprache herumexperimentieren (weil seine Signale ja nicht beachtet werden) und wenig Initiative mit Menschen, beispielsweise im Spiel mit anderen, zeigen. Dazu hat es einfach zu sehr den Glauben an seinen eigenen Wert und seine eigenen Fähigkeiten verloren. Umgekehrt entwickeln die Babys, die überwiegend verlässliche, liebevolle Antworten auf ihre Signale des Unwohlseins und der Angst bekommen, das Gefühl, dass sie wertvoll sind und Liebe und Aufmerksamkeit verdienen. Dieses Gefühl wird Teil ihrer Persönlichkeit. Das ist es, was wir, frei nach Bowlby, das »innere Erwartungsmodell« genannt haben.

Die Mutter spielt dabei eine besondere Rolle, weil sie dem Baby an seinem Lebensanfang noch aus dem Mutterleib vertraut ist. Wir haben an vielen Beispielen gezeigt, wie gut schon die Allerkleinsten ihre eigene Mama von anderen Personen unterscheiden. Mit vier Wochen haben sie bereits ausgeprägt unterschiedliche Verhaltensmuster im Umgang mit der Mutter und dem Vater und auch mit anderen Personen. Mit zwölf Monaten können sie mit einem Elternteil eine sichere, mit dem anderen jedoch eine unsicher-ängstliche Beziehung haben.

Kaum etwas lässt die spätere Ängstlichkeit eines Kindes so stark vorhersehen wie eine unsichere Beziehung zur *Mutter* im ersten Lebensjahr. Diese Art der Bindung lässt das Kind vor allem in *ständiger* Unsicherheit und Sorge leben, die Mutter würde es verlassen oder ihr könne etwas zustoßen.

Normalerweise jedoch protestieren Babys zwischen sechs und zehn Monaten heftig, wenn die Mutter fortgeht. Sie akzeptieren weniger leicht als vorher, dass man sie in der Obhut anderer Personen lässt. Hier zeige sich, meint Alicia Lieberman, dass sich das Kind nun ganz entschieden und kompromisslos an seine Bezugsperson gebunden hat. »Sie ist das Zentrum seines emotionalen Lebens geworden.«[30]

Es kommt vor allem darauf an, dass das Kind dieses Gefühl der Bindung hat. Ob die Bindung in jeder Situation und zu jeder Zeit gleich zärtlich und harmonisch ist, hat weniger Bedeutung. Wichtig ist, dass sie da ist.

Sie hat jedoch eine unumgängliche Konsequenz auch in der normalen Entwicklung: Das ist die Angst vor Trennung und Verlust. Mehr oder weniger stark empfunden, bleibt dieses Gefühl unser ständiger Begleiter, wenn wir mit jemandem eine emotional enge und intensive Beziehung haben. Alicia Lieberman: Dies sei die »oft verborgene, dunklere Seite von Liebe«. Wir werden beim Thema Eifersucht darauf zurückkommen.

Im zweiten Lebensjahr entstehen mancherlei Ängste paradoxerweise aus dem Bedürfnis, selbständig zu werden, das »Weite zu suchen«, das heißt, sich zunehmend von der Mutter zu entfernen. Die Unabhängigkeitsfortschritte fallen so mit einer ansteigenden Trennungsangst zusammen. Sie beginnt sich bereits in der zweiten Hälfte des ersten Lebensjahrs gleichzeitig mit dem »Fremdeln« zu zeigen und erreicht mit etwa 18 Monaten ihren Höhepunkt. Das ist auch sinnvoll, denn schließlich ist das Kind noch sehr auf die Mutter angewiesen und sorgt darum mit seinen Bindungssignalen dafür, dass sie in seiner Nähe bleibt.

Andererseits erträgt das Kind nach dem Ende des zweiten

Lebensjahrs Trennungen von der Mutter leichter, wenn es selber dabei die Initiative übernimmt.

Je größer und fähiger es im Verlauf der nächsten Lebensmonate wird, gut und böse zu unterscheiden, desto mehr wird ihm langsam bewusst, dass Menschen ambivalente Gefühle haben können. Das Kleinkind hat jetzt schon ein besseres Bewusstsein von sich selber, das heißt, es versucht bereits zu verstehen, warum es in sich selbst manchmal widerstreitende Gefühle hat und warum das bei anderen auch so ist. Wenn es zum Beispiel selber sehr wütend auf seine Mutter ist, fühlt es in diesem Moment vielleicht seine Liebe zu ihr nicht so deutlich wie sonst. Aus diesem Erleben entspringt die Angst, die Eltern könnten es nicht mehr lieben, wenn sie böse mit ihm sind. Es ist gut, wenn das Kind dann fragen kann: »Mama, hast du mich auch lieb, wenn du böse auf mich bist?« Wenn es nicht fragt, sollten die Eltern es in diesem Punkt oft beruhigen und ihm Sicherheit geben. Natürlich ist es für das Kind besonders schlimm, wenn sie sich in ihrem Ärger dazu hinreißen lassen zu drohen: »Du bist böse. Nun hab ich dich gar nicht mehr lieb.« oder wenn sie drohen: »Wenn du das tust, dann haben wir dich nicht mehr lieb.« Niemals sollten Eltern diese Worte in den Mund nehmen.

Weil die Angst, die Liebe der Eltern zu verlieren, bei einem Kleinkind einen so ungeheuren Raum einnimmt, ist es besonders wichtig, nach einer Auseinandersetzung wieder Frieden zu schließen, wieder »gut miteinander zu sein«. Und es ist umso wichtiger, je heftiger der vorangegangene Krach war. Die Eltern selber werden merken, dass es gar nicht so selbstverständlich und einfach ist, das Kind zu lieben, während sie so furchtbar wütend sind.

Die Ängste eines Kindes ändern sich also von der Babyzeit zum Kleinkindalter. Eltern, wie überhaupt Erwachsene, schätzen die Fähigkeit eines Kindes, Unwohlsein und Angst auszuhalten und damit umzugehen, oft zu hoch ein. Sie bedenken nicht, dass seine Einsicht und sein Verständnis kausaler Zusammenhänge entweder noch gar nicht oder nur wenig entwickelt sind. So geraten Kinder oft unnötigerweise in einen ausweglosen Stress, weil man zu lange wartet, ihnen zu helfen. Ein Baby, das noch keine inneren Ressourcen hat, beispielsweise mit Hunger umzugehen, gerät in eine ungeheure innere Spannungssituation, die, wie wir es beschrieben haben, einem inneren Chaos gleichkommt, einer Art »Nervenzusammenbruch«, wenn man es zu lange schreien lässt. Alicia Lieberman weist darauf hin, dass es normalerweise in fünf Sekunden aufhört zu schreien, wenn die Mutter schnell, also innerhalb von 90 Sekunden reagiert. Wenn sie jedoch drei Minuten vergehen lässt, braucht das Baby schon etwa 50 Sekunden, um sich zu beruhigen. Das heißt, wenn wir nur doppelt so lange warten, das Baby zu trösten, dann *verzehnfacht* sich bei ihm die Dauer des Schreiens. Wir haben vorher schon beschrieben, dass es umso mehr Vertrauen entwickelt und selber umso besser warten und mit seiner Angst umzugehen lernt, je prompter die Mutter in den ersten Wochen auf sein Schreien eingeht.

Beim Kleinkind vollzieht sich die Entwicklung in ähnlicher Weise. Je häufiger es die Erfahrung macht, dass seine Trotzmanifestationen, wenn ihm etwas nicht passt, keine allzu langen Katastrophen nach sich ziehen, desto besser lernt es, auch schon mal allein mit solchen Wut- und Protestempfindungen umzugehen und sich nach einer trotzigen Szene – wenn es sich zum Beispiel hinwirft und mit den Beinen stößt, oder einfach laut weint – selber zu beruhigen. Wenn es weiß, dass seine Eltern da sind und ihm auch zu helfen bereit sind, kann es Enttäuschungen und Frustrationen besser in den Griff bekommen.

Mit zunehmendem Alter wird alles leichter, weil die Kinder dann schon über ihre Gefühle reden können. So werden sie von den heftigen Emotionen nicht mehr vollkommen überwältigt.

Ängste ums Schlafengehen

Viele Ängste des Babys und Kleinkinds gruppieren sich ums Schlafengehen und die Nacht.

Da ist als erste die *Angst im Dunkeln*. Sie ist in unserem evolutionären Erbe enthalten. Vor Tausenden von Jahren hatten alle Menschen, Groß und Klein, Angst im Dunkeln. Denn in der dunklen Nacht waren sie allen möglichen Gefahren ausgeliefert, die sie nicht sehen und nicht vorhersehen konnten. Nur im Kreis um das helle und warme Feuer waren sie halbwegs sicher vor Feinden und Raubtieren. Wer sich aus diesem Lichtbereich herausbegab, lief nicht nur Gefahr, sich zu verirren, sondern auch, sich zu verletzen und attackiert zu werden. So hatte es auch jahrtausendelang einen Sinn, dass der Nachtschlaf fraktioniert war, so dass man in Alarmbereitschaft war, um sofort auf eine Gefahr reagieren zu können. Wir wissen heute kaum noch, was wir mit dieser Fähigkeit anfangen sollen. Wir betrachten sie sowohl bei uns als auch bei unseren Kindern als lästig, zumal die nächtlichen Momente des Wachseins häufig von Ängsten begleitet werden, und wir meinen, man müsse in einem Zug durchschlafen.

Zu allen Zeiten hatten Menschen einen Alptraum: Das Licht könne am Morgen nicht wiederkehren, die Erde in ewige Dunkelheit getaucht bleiben. Unsere Kinder fragen uns manchmal: »Mama, geht morgen auch wirklich die Sonne wieder auf?«

Heute sind wir uns dessen sicher. Aber in unserer gesamten Vorgeschichte waren Menschen das nicht, denn ihre Kenntnis vom Universum reichte dazu nicht aus.

Die Angst im Dunkeln war also sinnvoll und manchmal lebensrettend. Vergessen wir nicht, dass der Mensch als so genanntes »tagaktives« Tier mit seinen biologischen Rhythmen mehr noch als andere Säugetiere auf Nachtschlaf angewiesen und während dieser Zeit völlig wehrlos ist.

Wie wehrlos ist dann erst ein Baby und Kleinkind?

Auch heute noch haben viele Menschen, sogar Erwachsene, Angst im Dunkeln. Und viele schlafen besser ein, wenn irgendwo ein kleines Lämpchen seinen besänftigenden Schimmer verbreitet.

All dies einmal bedacht, sollten wir nun viel nachsichtiger mit der Angst unserer Kleinsten sein und uns nicht darüber wundern.

Die Angst im Dunkeln taucht zum ersten Mal um den achten Lebensmonat auf, etwa gleichzeitig mit dem »Fremdeln« und der Trennungsangst. Alle drei sind Ängste, die unabhängig von Erziehung auftreten, die jedoch auch einen gewissen Grad von Bewusstheit und Selbst-Bewusstheit voraussetzen. Der englische Entwicklungspsychologe John Bowlby, der sein ganzes Lebenswerk der Beobachtung von Kindern widmete, ordnete die Angst im Dunkeln wegen ihrer Unbeeinflussbarkeit von Erziehung darum den »biologischen (natürlichen) Ängsten« zu.

Dass diese Angst »natürlich« ist, lässt sich noch besser verstehen, wenn wir uns klarmachen, dass der Mensch nicht nur ein tagaktives, sondern auch ein »Augentier« ist. Sehen ist für uns wesentlich für alles, was wir erkennen, begreifen, lernen und kontrollieren wollen.

Sehen ist, ohne dass wir uns dessen bewusst wären, unabdingbar für unseren Gleichgewichtssinn, sogar für unsere Muskelspannung (den Tonus) und für unsere Tasterfahrungen, die wir ja mit unseren Augen überprüfen. Wir können uns im *Raum* nur orientieren und zurechtfinden, wenn wir alle diese Sinneserfahrungen nutzen können. Sogar das Hören spielt dabei eine Rolle. Wenn auch nur eine Wahrnehmung fehlt, sind wir verunsichert und wissen nicht mehr, wo wir sind und wie wir uns in einem Raum befinden. Rechts und links, vorn und hinten, oben und unten verschwinden. Ganz besonders, wenn das Sehen fortfällt. Darum macht uns Dunkelheit auch in unseren Bewegungen unsicher, nicht nur, weil wir dann fürchten zu stolpern oder uns zu stoßen. Und so legen wir uns nicht ohne Grund *nachts* zum Schlafen nieder. Nicht aus Müdigkeit nur, sondern auch, weil die aufrechte Haltung zu anstrengend wird, wenn wir nicht über alle unsere Sinne verfügen können.

Genau so geht es einem Kind, nur erlebt es das alles noch intensiver. Es lernt ja gerade erst, sich mit einer halbwegs aufrechten Haltung – zunächst, indem es den Kopf hebt, dann sitzend und schließlich stehend – im Raum zu orientieren. Die aufrechte Haltung des Kopfs spielt eine Rolle bei jeder geistigen Leistung. Die Entwicklung dahin, der monatelange Kampf mit der Schwerkraft, sind gar nicht leicht für ein Baby. Es ist stolz darauf, wenn es nun endlich auf eigenen Beinen stehend, sich im Raum umsehend und ihn neugierig erkundend »Herr der Lage« ist.

Das alles muss es beim Schlafengehen im Dunkeln aufgeben.

In den ersten Lebenswochen ist der »Nahsinn« Fühlen vorrangig, später jedoch, wenn die eben beschriebene Integration verschiedener Fähigkeiten einschließlich der Sprache weiter fortschreitet, bekommt der »Fernsinn« Sehen mehr Bedeutung. Er erlaubt ja nicht nur Orientierung, sondern auch die Gefühlsbindung zur Mutter über eine gewisse Distanz. Die Beraubung dieser Wahrnehmung und damit des Bandes zur Mutter im Dunkel der Nacht ist eine beängstigende Erfahrung für das Kind.

Während es sich vor dem sechsten bis achten Monat noch stark als Einheit mit seiner Mutter erlebt hat, fühlt es jetzt die Getrenntheit stärker und beginnt, neue Unterscheidungen zwischen Menschen, aber auch Situationen zu treffen. Im Blickkontakt mit seiner Mutter beginnt es mehr und mehr, ihren Gesichtsausdruck als Referenz für das Umweltgeschehen in seine eigene Beurteilung einer Situation einzubeziehen. Ist eine auftauchende Person fremd, kann man ihr vertrauen? Soll es in einer Situation oder mit einem Gegenstand besonders vorsichtig umgehen? Das Kind holt sich Auskunft im Blick der Mutter, der vielleicht ermutigt oder sagt: »Stopp, Gefahr droht!« Nachts allein in seinem Zimmer kann es diesen mütterlichen Blick nicht mehr befragen, sich von ihm keine Ermutigung und keinen Halt holen. Wir können uns jetzt besser vorstellen, dass der allabendliche Verlust dieser Orientierungshilfen und -maßstäbe das Erlebnis der Dunkelheit eher fürchten als – trotz aller Müdigkeit – herbeisehnen lässt.

In jeder Entwicklungsphase muss das Kind erneut Vertrauen gewinnen, dass es sicher sein kann. Die meisten Eltern helfen ihm dabei intuitiv, zum Beispiel mit tausend ganz persönlich gestalteten Abendritualen.

Größere Kinder haben oft Angst im Dunkeln, weil ihre Phantasie sich nun reich entfaltet, sie entdecken, kaum dass das Licht gelöscht ist, um sich herum alle möglichen Geister und Gestalten. Eine Jacke über einem Stuhl wird lebendig, eine Uhr bekommt ein Gesicht, ein Geräusch, tagsüber bekannt, nachts jedoch unheimlich, kündigt wer weiß welche Gefahren von Monstern, Hexen und Gespenstern an. Diese bösen Geister lassen sich am besten bannen, wenn die Eltern dem Kind abends noch einmal zeigen, wie vertraut alles ist, was es in seinem Zimmer um sich herum versammelt hat. Es kann seinen Lieblingsspielzeugen noch einmal Gute-Nacht sagen und sich versichern, dass alles in Ordnung ist. Außerdem sollte man diesen Kindern ein schummriges Lämpchen anlassen. Und warum sollte nicht die Tür einen Spalt aufbleiben, so dass es die beruhigenden Geräusche der Familie hört?

Das Baby und Kleinkind brauchen noch die sensorische »Umhüllung« der gewohnten Geräusche und ein wenig von dem Sicherheit gebenden Licht. All die vertrauten Wahrnehmungen schmiegen sich um das Kind wie eine flauschige Decke. Sie stören es nicht, wie manche Eltern meinen, die nun auf Zehenspitzen gehen und flüstern. Im Gegenteil, sie ersetzen ein wenig die gefühlte Nähe der Mutter und helfen dem Nervensystem sich besser zu regulieren.

Es sei wichtig, dass sich vor allem die Kleinsten beim Schlafengehen nicht *wie vom Leben abgeschnitten* fühlen, meint die französische Kinderärztin und -analytikerin Françoise Dolto. Das Baby, das aus dem Mutterleib kommt, ist gewohnt, mitten im Leben zu sein. Es spürt immer den Körper der Mutter, ihre Bewegungen, ihren Atem. Es hört ihre Stimme. Seit Hunderttausenden von Jahren sind neugeborene Babys darauf angewiesen, dass sie dicht am Körper der Mutter bleiben. Alle ihre biologischen und psychischen Funktionen und Verhaltensweisen sind darauf eingerichtet. Das Kinderzimmer mit einem Bettchen für ein Baby ganz allein ist eine Erfindung der westlichen Welt, die erst 200 Jahre alt ist! Wer weiß das? Denken wir an die im Kapitel über die geborgene Bindung geschilderte Übereinstimmung aller Rhythmen zwischen Mutter und Baby auf den Trobriandinseln und daran, dass ein Baby auch für seine *physiologische* Sicherheit, zum Beispiel die Regulierung der Atmung und des Schlafs, die fühlbare Nähe der Mutter braucht.

»Das größte Unrecht, das man Kindern antun kann«, schreibt Françoise Dolto, »ist, sie nicht gleich in die Gesellschaft aufzunehmen, wenn sie geboren werden. Aber allzu oft legt man sie für sich allein irgendwohin, man spricht nicht mit ihnen ... Wenn wir ein Kind, das nachts weint, in das gemeinsame Leben aufnehmen und wenn wir mit ihm sprechen wie mit einer Person, dann hört es auf zu weinen. Das ist spektakulär.«

Die Angst eines Babys und Kleinkinds vor dem Dunkel und dem Schlafengehen ist vor allem eine Angst vor Trennung und, schlimmer noch, verlassen zu werden. Die Befürchtung, Hänsel und Gretel gleich, im dunklen Wald, in der dunklen Nacht allen Bedrohungen allein überlassen zu werden.

Häufiger, als Eltern es ahnen, haben noch Vier- und Fünfjährige, ja, nach neueren Untersuchungen sogar noch Siebenjährige im Dunkeln Angst, Vater und Mutter könnten weggehen und vielleicht nicht wiederkommen. Es könnte ihnen etwas Böses zustoßen, meinen manche. Meist reden sie nicht darüber. Es bedarf langer Gespräche mit erfahrenen Personen, um solche Wahrheiten aus ihnen herauszuholen. Aber manche fragen jeden Abend, ob Mama und Papa auch dableiben. Ein vierjähriges kleines Mädchen warf beim Gutenachtkuss immer einen prüfenden Blick auf die Schuhe ihrer Mutter. Hatte sie Hausschuhe oder Straßenschuhe an? Die Eltern versicherten mir, sie hätten ihr Kind noch nie allein gelassen.

Verstehen wir einfach, im Dunkeln ist die Welt für Kinder – und nicht nur für sie! – ein unsicherer, ja unheimlicher Ort. Viele überwinden in der Geborgenheit der Familie bald diese Gefühle. Je mehr Sicherheit wir ihnen am Lebensanfang vermitteln, desto leichter. Manche jedoch behalten ihre nächtlichen

Ängste länger oder immer – wie die deutsche Schauspielerin Christine Kaufmann, die mir gestand, sie *könne* einfach nicht allein schlafen. Allein darum brauche sie eine Beziehung.

Angst, einzuschlafen: Nicht unbedingt Angst vor der Dunkelheit liegt dem Widerstand vieler Kinder beim Schlafengehen und überhaupt vorm Schlafen zugrunde.

Schlafen ist eine Wohltat. Warum muss dann ausgerechnet ums Schlafen die erste heftige Auseinandersetzung zwischen Eltern und Kind entbrennen?

Vieles davon beruht ganz schlicht auf Missverständnissen. Das erste: Man müsse Kinder zum Schlafen erziehen. Das ist falsch. Kein Kind muss schlafen *lernen*.

Wenn sie auf die Welt kommen, haben sie im Mutterleib fast den ganzen Tag lang geschlafen, und nach der Geburt ändert sich das nicht gleich drastisch.

Aber Babys schlafen anders. Sie verbringen die meiste Zeit im so genannten REM-Schlaf (Schlaf der schnellen Augenbewegungen), ein Schlaf mit viel Hirnaktivität und viel Träumen, aus dem man leicht aufwacht. Manchmal denken Eltern sogar, ein Baby sei aufgewacht – wenn es zum Beispiel ein bisschen quengelt –, obwohl es in Wahrheit noch im REM-Schlaf ist. Tiefschlafphasen und überhaupt ausgeprägte Schlafrhythmen bilden sich erst im Lauf des ersten Lebensjahres aus. Normalerweise kann und sollte das Baby seinen ihm eigenen Rhythmus zwischen Aktivität und Ruhe selber finden. Das jedoch lässt sich häufig mit dem Berufs- und überhaupt Sozialleben der Eltern nicht vereinbaren. Darum versuchen Eltern, das Baby an Regeln zu gewöhnen. Manchmal geht das ganz leicht, weil es dem Eigenrhythmus des Kindes entgegenkommt. Manchmal jedoch gibt es da »Missmatches«, ein Aufeinanderprallen von unvereinbaren Notwendigkeiten. Dann gibt es natürlich Schlafprobleme beim Kind.

Das zweite Missverständnis: Kinder müssten durchschlafen. Wir haben schon im vorangegangenen Abschnitt erklärt, dass ein unterbrochener Schlaf zu unserem evolutionären Erbe gehört. Nur, Kinder erleben in diesen Aufwachphasen ihr Alleinsein, die Stille und Dunkelheit anders als Erwachsene.

Wir haben die Gründe dafür schon beschrieben. Eltern können einem Kleinkind dabei helfen, indem sie es verstehen lassen, dass es, einmal im Bett, gar nicht unbedingt schlafen, sondern nur lernen muss, in seinem Wachsein nicht jedes Mal aufzustehen oder nach Mama zu rufen. Man kann das am besten in kleinen Rollenspielen – am Tag! – mit ihnen durchspielen. Dabei lässt sich erklären: »Schau mal, jetzt kommst du zu Mama. Was macht Mama gerade? Sie schläft. (Lassen Sie dem Kind Zeit, jeweils die Antworten zu geben.) Was machst du nun? Sie aufwecken. Was tut Mama nun? Sie ist ärgerlich, weil sie so müde ist. Nicht, weil du wach bist.«

Dann kann die Mutter in einer neuen Szenerie mit dem Kind durchspielen, wie es anders gehen könnte. Sie zeigt ihm, dass es nachts beim Aufwachen statt Mama seinen Lieblingsteddy in den Arm nehmen kann. Es kann mit ihm schmusen und sprechen. Dann braucht es keine Angst mehr zu haben. Wenn die nächtlichen Probleme häufig und liebevoll am Tag gemeinsam durchgespielt werden, helfen Eltern ihrem Kind, nachts allein die Wachphasen zu bewältigen.

Oft wollen Kleinkinder nicht schlafen gehen, weil ihnen das Loslassen ihrer Spiele, ihrer Spielgefährten, aller ihrer aufregenden Aktivitäten und vor allem der Eltern so schwer fällt. Ihre Abneigung gilt also nicht eigentlich dem Schlafen, sondern dem Aufgeben des Tages mit allem, was sie darin lieben. Wie Erwachsene können Kinder besser einschlafen, wenn sie einen ausgefüllten befriedigenden Tag hinter sich haben, mit viel Bewegung und Spaß. Dann zeigen sie oft sogar selber, dass sie Bedürfnis nach Ruhe haben. Eine Vierjährige, die es gewohnt war, dass ihr die Mutter abends vorm Einschlafen noch eine kleine Geschichte vorlas, meinte nach einem besonders mit Spielen und Abenteuern angefüllten Tag: »Mama, heute will ich keine Geschichte mehr. Ich will gleich schlafen.«

Nach dem zweiten Lebensjahr nehmen sie oft auch Ängste, die während des Tages entstehen – vor großen Tieren, Fremden, unverstandenen, beängstigenden Situationen – mit in die Nacht. Dann fürchten sie sich vorm Einschlafen.

Angst vorm Einschlafen haben viele auch, weil sie fühlen, dass sie dann die Kontrolle über sich verlieren. Das kann bedeuten, nachts das Bett nass zu machen. Sie möchten ja gern wie die »Großen« sein und alles so tun wie sie: Das Bett einzunässen, empfinden sie als Demütigung, besonders wenn die Eltern zu früh von ihnen verlangen, ihre Blasenfunktionen zu beherrschen. Manche Eltern empfinden es als persönliche Niederlage, wenn ihr Sohn oder ihre Tochter das Bett nass machen. Die Kinder spüren das in jedem Fall und fühlen sich schuldig. Alle Eltern sollten wissen: Jedes Kind erreicht die Beherrschung seiner Blasenfunktionen zu einem unterschiedlichen Zeitpunkt. Komplexe neurologische Reifungsvorgänge müssen dazu erst abgeschlossen sein. Wer sein Kind zu sehr zur »Sauberkeit« drängt, statt es nachts lieber noch mit Windeln schlafen zu lassen, erzeugt in ihm unnötige Ängste. Davon hat es ohnehin, wie wir gezeigt haben, genug.

Gefühle aufeinander abstimmen

Wir haben gezeigt, dass Babys schon sehr früh angemessen auf mimische Ausdrücke ihrer Mutter reagieren. Im Laufe des ersten Lebensjahres lernen sie in diesem Gefühlsaustausch viel dazu, beispielsweise wenn sie die Mutter fragend anschauen: Darf ich das? Habe ich etwas Dummes oder Gefährliches getan? Oder auch angesichts eines beschädigten Spielzeugs: Kaputt? Ist das sehr schlimm, Mama? Der Blick der Mutter und ihr fröhlich-ermunternder Gesichtsausdruck geben Babys so viel Vertrauen, dass sie damit sogar wagen, über einen unter einer Glasplatte visuell vorgetäuschten Abgrund zu krabbeln. Ohne diese wortlose Ermutigung im Blick der Mutter würden sie davor mit einem Ausdruck von Überraschung und Angst Halt machen.

Bowlby sieht in diesem Verhalten die Basis für kooperative Partnerschaft. Indem das Kind die Mutter oder eine andere Bezugsperson ständig beobachtet, gewinnt es bereits früh – etwa vom zehnten Monat an – eine Vorstellung von den Wünschen und Gefühlen des anderen, des Partners. Es kann sich jetzt auf ihn *abstimmen*. Wir erwähnten den von Bowlby geprägten Begriff »inneres Arbeitsmodell«. Dieses Erkennen und In-Betracht-Ziehen der Gefühle des anderen, der einem vertraut ist und vorhersehbar handelt und reagiert, gehört dahinein, es ist Bestandteil jenes Arbeitsmodells. Ganz am Anfang genügt ein Lächeln, das herüber- und hinübergeht, damit beide Partner sich zeigen, wie sehr es auf den anderen ankommt.

Rachel erlebt eine solche Gefühlsabstimmung mit ihrer elfeinhalb Monate alten Tochter Justine in einer Situation, wie sie im Familienalltag mit Kleinkindern häufig vorkommt.

Während Mama sich morgens für die Arbeit vorbereitet, geht

Justine im Badezimmer auf Erkundungsreise. Sie öffnet das Schränkchen über dem Waschbecken, greift hinein, und da ist es auch schon passiert: Ein Fläschchen mit roter Desinfektionsflüssigkeit fällt herunter und zesplittert auf dem Fußboden. Die Mutter, vom Geräusch alarmiert, steht sofort in der Tür. Sie sieht die Kleine fragend und erschreckt zu sich aufblicken: Ist die Sache sehr schlimm? Ist Mama böse? Rachel ruft ihr zu: »Rühr dich nicht!« Das Kind erstarrt. Nachdem Rachel rasch die Scherben beseitigt hat, die dem Kind gefährlich werden konnten, gibt sie ihrem Ärger sehr bestimmt mit nur einem Satz Ausdruck: »Geh in dein Zimmer!« Die Kleine schluckt bekümmert, dreht sich um und strebt breitbeinig unsicheren Schritts ihrem Zimmer zu. Sie kann erst seit vierzehn Tagen allein laufen. Rachel sieht, nun schon wieder gerührt, ihrer Tochter nach, wie sie mit dem dicken Windelpaket zur Tür wackelt und sich dort noch einmal umschaut. Mamas Gesichtsausdruck hat sich geändert. Jedenfalls verschwindet Justine und kommt mit einem kleinen Schwamm aus der Küche wieder zurück. Sie tippt die wischend am Fußboden hockende Mutter zweimal leicht an der Schulter an und macht eine nicht genau definierbare Grimasse, so wie: Schau mal, was ich hier habe! Dann kauert sie sich neben die Mama und wischt mit ihr gemeinsam den Boden auf, wobei sie ihr mehrfach prüfend ins Gesicht sieht und lächelt. Rachel fällt es schwer, ernst zu bleiben. Bald lächelt auch sie.

Dies ist ein eindrucksvolles Beispiel von Gefühlsabstimmung in einer vertrauensvollen Beziehung. Die Mutter hat zwar zunächst erschreckt und zornig reagiert, ihr Verhalten jedoch so feinfühlig auf ihr Kind abgestimmt, dass sie ihrer Tochter die Möglichkeit ließ, nicht einfach in Angst und Schuldbewusstsein zu erstarren, sondern einen konstruktiven Ausweg aus dem Dilemma zu finden. Dies ist die Art von Situationen, in denen, wie Alicia Lieberman erklärt, Eltern ihren Kindern Gelegenheit geben, Empathie, Mitgefühl zu zeigen. Justine hat nicht einfach Angst bekommen. Ein bisschen zwar, aber nicht so viel, dass sie nicht jede Gefühlsregung ihrer Mutter genau registriert und sich darauf eingestellt hätte. Sie wusste auch, dass Mama morgens nicht viel Zeit hatte und konnte zeigen, dass es ihr Leid tat, indem sie ihr half, schnell fertig zu werden. Eine beachtliche Leistung für ein nicht einmal einjähriges Kind.

Eigentlich die Leistung dieser Mutter. Sie hatte die sichere Basis geschaffen (denn Justine fühlt sich wirklich sicher in der Beziehung), von der wir hier so häufig gesprochen haben, und damit die Voraussetzung für eine »kooperative Partnerschaft«.

Die Abstimmung der Gefühle zwischen beiden hatte fast ohne Worte stattgefunden. Sie erlaubte beiden einen besseren Zugang zur Wahrnehmung auch der eigenen Gefühle. In diesem ständigen Prozess des Adjustierens und des Überprüfens erfährt das Kind, ob sein Gefühl adäquat ist, ob es der Situation wirklich angemessen ist. Das ist wichtig, um zum Beispiel zu heftige Wut-, Angst- oder Frustrationsreaktionen zu korrigieren. Häufig ist der erste Impuls überschießend. Einen Moment lang hatte es so ausgesehen, als wollte Justine anfangen zu weinen. Sie hatte sich jedoch eines Besseren besonnen und das Schwämmchen aus der Küche geholt, um Mama zu helfen. Bei solchen Erlebnissen lernt das Kind, Gefühlsreaktionen zu überprüfen. Justine erlebt auch bei ihrer Mutter diese Gefühlskorrektur – von sehr heftig zu milde und partnerschaftlich.

Wir sehen hier, wie bedeutsam es ist, nach Krächen, Kämpfen und Krisen Offenheit zu zeigen, indem man sich auf die Gefühle des anderen abstimmt. So bleiben die Dinge in Bewegung und können sich positiv entwickeln. Im umgekehrten Fall, wo Eltern einfach hartnäckig anhaltend »böse« sind, bleibt dem Kind

Paul, ein Jahr

keine andere Haltung, als in seinem Trotz, seiner Wut, seiner Angst oder Trauer – je nach der Situation – zu verharren. Dann geht nichts mehr. Ohne einen Gefühlsaustausch mit gegenseitiger Abstimmung würde die Welt zwischen Eltern und Kind plötzlich gelähmt, wie im Bann eines Märchenzaubers stillstehen. Denken wir an die Erstarrung der Welt um Dornröschen. Im Märchen mag ein Prinz mit einem Kuss, dem magischen Signal: »Hier ist ein Gefühl« die Dinge wieder in Gang bringen. In der Realität müssen die Eltern ihrem Kind diesen Kuss geben, damit seine Welt wieder in Bewegung kommt.

Gefühle in Worte fassen

Nicht von ungefähr fällt in diese Entwicklung der Abstimmung von Gefühlen zweier unterschiedlicher Menschen, nämlich der eigenen und der des Partners, ein Aufblühen der Sprache. Erste Worte, wie »Mama«, »Papa«, »Hamham« tauchen auf. Ein Wort wie »Mama« kann für das Kind viel bedeuten – es weckt alle möglichen Erfahrungen mit ihr wie ihre liebevollen Gesten, Blicke, ihren Trost, ihr warmes Streicheln und tausend kleine gemeinsame Spiele. Kinder haben die Fähigkeit, mit Worten »aus wenig viel zu machen«, erklärt der Entwicklungspsychologe und Sprachspezialist Jerome Bruner. Manchmal erlebt eine Mutter, wie ihr Baby mit solcher Inbrunst »Mammma« sagt, dass darin eine ganze Welt von liebevollen Gefühlen vereint scheint.

Trotzdem ist es noch eine Zeit lang darauf angewiesen, dass diese Mama seine Gefühle an seiner Stelle in Worte fasst. Das ist von viel größerer Bedeutung, als Mütter ahnen. Sie tun es meist intuitiv und helfen damit ihrem Kind oft, unerträgliche Gefühle leichter zu machen. Anteilnehmende Sätze wie: »Nicht wahr, du bist traurig, weil Papa nicht da ist« oder »Du bist enttäuscht, weil ...« lassen das Kind die Gefühle als weniger schlimm empfinden. Sie werden sozusagen gezähmt dadurch, dass Mama sie in Worte fasst und sie mit ihm teilt.

Lange bevor das Kind selber sprechen kann, versteht es, was Eltern über Gefühle sagen. Es lernt nun schnell, seine eigenen zu benennen. Mit 18 Monaten schon beginnen Kinder über ihre Gefühle Auskunft zu geben. Die partnerschaftliche Abstimmung und Kooperation wird sehr viel leichter. Sprache befreit auch die Gefühle aus ihrem manchmal amorphen Zustand. So lässt sich viel besser damit umgehen.

Zuerst sind ihre Gefühlsäußerungen nur einfache Feststellungen wie »Janni traurig«. Mit 28 Monaten drücken sie schon aus, dass sie verstehen, *warum* jemand anders etwas fühlt. Sie können sagen: »Du bist traurig, Mama. Was hat Papa gemacht?« Und sie erklären sogar schon, dass ihr eigenes Gefühl eine andere Person zum Handeln veranlasst hat. »Nanny weint. Tante nimmt Nanny auf Arm.«

Mit drei Jahren schon drehen sich die Hälfte solcher Gespräche um die *Ursachen* von Gefühlen. Sie zeigen, wie vielfältig die Einsichten der Kinder bereits sind. Psychologen haben Gespräche von Dreijährigen mit ihren Müttern und Geschwistern aufgenommen, in denen sie sich über Gefühle unterhielten, meist Spaß oder Schmerz. Sie lernten schnell von ihren Müttern, sich genauer über ihre inneren Empfindungen zu äußern. Denn diese sprachen mit ihnen *meist* über Gefühle. Etwa 60 Prozent der Sprache, mit der sich Mütter an ihre Zweieinhalb- bis Dreijährigen wenden, dreht sich nur darum.[31]

Maxime, ein Jahr alt, und ihr Bruder Louis, fünf Jahre

Geschwister spielen eine bedeutende Rolle, wenn es um das Ausdrücken von Gefühlen geht. Kinder mit älteren Brüdern oder Schwestern, zu denen der Altersabstand gering ist, lernen besser als Einzelkinder, emotionelles Erleben in Worte zu fassen. Die Gespräche mit ihren Müttern drehen sich zwischen drei und vier Jahren nun nicht mehr nur um ihre oder Mamas Gefühle, sondern sehr häufig um das, was die Geschwister empfinden. Auch untereinander unterhalten sie sich über ihre Emotionen. Grundsätzlich gilt: Je mehr Kinder Gelegenheit zu solchen Gesprächen haben, desto differenzierter gehen sie mit der Sprache über diese Themen um.[32]

So erfahren die Kinder nach und nach nicht nur immer besser, wie man über Gefühle spricht, sondern auch, wie man auf diese Weise *Gefühle mit anderen teilt.* Sie lernen, sich über Empfindungen noch besser klar zu werden, indem sie sie in Worte fassen und ihre Vermutungen über die jeweiligen Ursachen angeben. Eltern können nun manches besser vom Standpunkt des Kindes aus verstehen. Beide Seiten bekommen eine genauere Vorstellung voneinander.

Eifersucht – die Kehrseite der Liebe

Warum ist mein Kind eifersüchtig?« fragen viele Eltern. Die Antwort ist einfach: Es ist eifersüchtig, weil es sie liebt. Dies ist ein erster Grund, dieses Gefühl eines Kindes nicht voreilig als negativ zu bewerten. Eifersucht ist normal, sie gehört in die Entwicklung. Viele widerstreitende Empfindungen fließen in dieses Gefühl ein: Liebe, Frustration, Angst, Wut, ja manchmal sogar Hass.

Ab wann empfindet ein Kind Eifersucht? Donald W. Winnicott meint, vor Vollendung des ersten Lebensjahres sei es dazu noch nicht fähig. Wir werden das verstehen, wenn wir uns vor Augen führen, dass Gefühle bei jedem Menschen eine Geschichte haben. Die Voraussetzung dafür, dass Eifersucht entsteht und überhaupt einen Sinn bekommt, ist Liebe. Und Liebe ist das Gefühl, in dem eigentlich alle anderen aufgehen. In seiner Urform ist es sicher schon beim Neugeborenen da, zuerst vielleicht mehr als eine Empfindung des Einsseins mit der Mutter.

Jedoch, was *wir* als Liebe bezeichnen, kann erst entstehen, wenn das Baby entdeckt, dass es als einzelnes Wesen existiert, wenn also es selber und die Mutter wirklich zwei sind und wenn es dann zum ersten Mal erlebt, es könne sie verlieren. Wir haben gezeigt, welche Verlust- und Trennungsangst Kinder in der zweiten Hälfte des ersten Lebensjahres und später erleben. Erst diese Erfahrung lässt das entstehen, was wir Erwachsenen Liebe nennen. Manchmal so heftig, dass sie dem Kind fast Angst macht. Eine Vierjährige, die sich über Gefühle bereits erstaunlich bewusst ausdrückt, sagte, ihre Mutter stürmisch umarmend: »Mama, ich hab dich soo lieb. Zu, zu lieb.«

Aus dem Einssein mit der Mutter, aus der vollkommenen biologischen und seelischen Abhängigkeit am Lebensanfang ist etwas hervorgegangen, das wir als »Bindung« bezeichnet haben. Diese Bindung, so zeigte sich, ist unabhängig von den »guten« oder »schlechten« Eigenschaften der bemutternden Person.

Auch Liebe fragt zunächst nicht danach, ob der andere gut oder schlecht ist. Sie ist bedingungslos, jedenfalls am Anfang. Sie ist dann aber auch sozusagen totalitär. Und jede Form von Entzug wird zu Anfang mit negativen Gefühlen beantwortet, sei es, wenn die Mutter mal aus dem Zimmer geht oder auch länger abwesend ist, sei es, dass sie ihre Aufmerksamkeit nicht ganz dem Kind zuwenden kann, sei es, dass sie sich intensiver mit einer anderen Person beschäftigt. Neugeborene fangen sogar bereits an zu schreien, wenn die Mutter ihnen im Zwiegespräch nicht voll das Gesicht zuwendet, sondern stattdessen ihr Profil. Kann man da schon von Eifersucht sprechen? Wohl kaum. Jedoch von einer Beunruhigung, die zur Angst werden kann, die Mutter wäre nun nicht mehr ganz für das Baby da.

Zu diesem Zeitpunkt beginnt etwas zu keimen, das vielleicht den Sinn hat, dem Kind seine Mutter, seine eigene, unverwechselbare, vollkommene Mutter (egal, welche Schwächen sie objektiv hat) zu erhalten. Dem Kind stehen etliche Mittel zur Verfügung, um dies zu erreichen, und es macht davon reichlich Gebrauch. Positive Mittel der Verstärkung, zum Beispiel Lächeln oder Jauchzen oder auch schon freudiges Öffnen des Mundes, die für Mütter und Väter wie eine Belohnung sind. Negative wie Weinen und Anklammern, die die Mutter daran erinnern: »Bleib bei mir!«

So etwas scheint auch der Antrieb für erste Empfindungen der Eifersucht zu sein. Eifersucht kann nur entstehen, wenn Bindung da ist. Sie ist also Zeichen einer normalen, gesunden Entwicklung des Kindes. Die meisten Mütter empfinden das auch so. Sie beginnen erst, sich Fragen zu stellen, wenn ihnen die Eifersucht eines Kindes auf ein neues Geschwisterkind oder auf einen Spielgefährten Probleme macht, wenn sie nicht wissen, wie sie damit umgehen sollen. Das soziale Umfeld des Kindes hat sich dann also schon erweitert.

Mütter berichten häufig, dass Kleinkinder mit etwa 15 Monaten und später sich plötzlich ganz ungewöhnlich verhalten, wenn die Mutter das neue Baby stillt oder füttert. Die erste wirklich heftige Eifersucht dreht sich häufig ums Füttern. Viele Kinder wollen dann wieder ihr Fläschchen. Überhaupt wollen sie wieder ein Baby sein, wenigstens in einigen symbolischen

Handlungen. Manche wollen sogar wieder Windeln und fangen erneut an einzunässen. Es sieht so aus, als sei dem Kind jedes Mittel recht, um die Mutter wieder ganz für sich zurückzugewinnen. Dafür geben sie sogar schwer erworbene Privilegien als »großes Kind« auf.

Eine Mutter erzählte erstaunt, ihr kleiner Sohn habe furchtbar geweint, als das Baby zum ersten Mal in den Kinderwagen gelegt wurde. Er selber war schon lange zu groß dafür, aber nun wollte er wieder hinein.

Manche versuchen sogar, ihrem kleinen Geschwisterchen wehzutun oder es zu ersticken. Das kann so aussehen, als umarmten sie es allzu heftig. Ein anfänglich zärtlicher Impuls scheint sich dann plötzlich in Mordlust umzuwandeln.

Viele zeigen sich zunächst erfreut über das neue Baby. Oft haben sie sich die kleine Schwester oder den Bruder sehnlich gewünscht. Und nun ist plötzlich alles ganz anders, als sie es sich vorgestellt hatten. Sicher hatten sie überhaupt nicht daran gedacht, dass sie nun die Mutter teilen müssten.

Nun lieben und hassen sie das andere Kind gleichzeitig. Mal gewinnt das eine Gefühl, mal das andere die Oberhand. Manchmal gehen beide durcheinander.

Wenn die negativen, vielleicht sogar zerstörerischen Gefühle dem Baby gegenüber zu stark werden, leidet das Kind selber. Es tut ihm Leid, die süße kleine Schwester oder das putzige Brüderchen zu hassen. Dann findet es für seine Eifersucht machmal einen Ausweg, indem es seine »bösen« Gefühle auf einen Gegenstand, eine Puppe, ein Stofftier oder auch ein Haustier richtet. Sie müssen stellvertretend herhalten, damit das Baby nicht unter der Eifersucht leidet. Mit diesem Verhalten zeigt das ältere Kind ein erstes Verantwortungsgefühl gegenüber dem jüngeren Geschwisterkind.

Wie Eltern ihrem Kind helfen, mit Eifersucht umzugehen

Die meisten Eltern können sich gut in ihre Kinder hineinversetzen. Sie reagieren mit Verständnis, auch wenn sie manchmal über das bösartige Verhalten des eifersüchtigen Kindes erschrocken sind. Sie fühlen intuitiv, dass sie es durch besondere Zärtlichkeit und Aufmerksamkeit entschädigen müssen. Sie lassen es zum Beipiel beim Füttern dicht neben sich sitzen oder nehmen es sogar mit auf den Schoß, auch wenn das manchmal akrobatische Fähigkeiten von ihnen verlangt. Viele Väter sind sehr einfallsreich, wenn es gilt, abzulenken oder verständnisvoll zu sein.

Denn das Kind ist tatsächlich in Schwierigkeiten. Es begreift seine neuen widerstreitenden Emotionen nicht, und häufig empfindet es dabei Schuldgefühle gegenüber dem doch so sehr geliebten kleinen Baby.

Darum würden Eltern mit Strafen nur alles noch schlimmer machen. Das Kind müsste in Zukunft seine Gefühle unterdrücken und verbergen. Es hätte dann keine Chance, sie zu einem »guten Ende« weiterzuentwickeln.

Wenn diese Entwicklung jedoch von den Eltern zugelassen und erleichtert wird, wenn man ihm erlaubt, seine für alle Familienmitglieder problematischen Gefühle zu erleben, dann sind Eltern vielleicht erstaunt, dass diese frühe Form der Eifersucht oft ganz plötzlich verschwindet. Sie scheint sich in nichts aufgelöst zu haben.

Im Kind hat sich unterdessen etwas verändert. Es versteht seine Welt – die Dinge, Menschen, Handlungen und Gefühle – nach und nach besser. Es hat nun mehrfach *erlebt*, dass ihm die Liebe seiner Mutter und seines Vaters nicht *wirklich* abhanden

Lisa, dreieinhalb Jahre

kommt, wenn das Baby gestillt, gefüttert oder gewindelt wird. Es erlebt, dass Teilen nicht mit Verzicht und Verlust gleichzusetzen ist. Es beginnt zu begreifen: Die Mutter liebt den Vater, sie liebt aber auch ihr Kind und sogar noch die kleine Schwester. Und keiner kommt zu kurz. Das heißt also: Liebe kann mehrere Personen einschließen.

Eigentlich handelt es sich hier nicht um Erziehung, sondern um *Erleben*. Wir können unserem Zweijährigen lange erzählen, er habe gar keinen Grund eifersüchtig zu sein. Die Wirkung wäre gleich null. Wir können ihn helfen lassen, die kleine Schwester zu versorgen, das Fläschchen zu halten. Sicher ist er darauf eine Zeit lang stolz, jedoch wird er wahrscheinlich trotzdem immer wieder Wut- und Eifersuchtsanfälle haben. Wir könnten ihn oder sie strafen. Und das würde die Eifersucht nur bestätigen. Nun wäre das Kind erst recht ausgestoßen aus der liebevollen Umarmung der Eltern.

All das nützt nichts, wenn das Kind nicht seine wahren »bösen« Gefühle durchleben und zeigen darf. Natürlich sollen die Eltern ebenfalls ehrlich sein und nicht so tun, als seien sie begeistert über die Attacken ihres Ältesten, und natürlich müssen sie das jüngere Kind schützen. Aber sie können dem älteren zeigen, dass sie verstehen, wie schwer die neue Situation für es ist und dass sie es deshalb nicht weniger lieben.

Allein die wirklich gelebte, ausgelebte Erfahrung mit den Eltern, die immer aufs Neue liebevoll mit ihrem Ältesten umgehen, vermittelt schließlich die Erkenntnis: Ich muss nicht böse auf das neue Baby sein, und ich muss auch nicht selber wieder ein Baby sein, um geliebt zu werden. Der (oder die) »Große« wird sich nun auch gern wieder daran erinnern, wie lieb Mama mit ihm war, als es selber ein Baby war – wie sie es gebadet und gefüttert, wie sie es immer, auch ohne Worte, verstanden hat, sein Lächeln, sein Weinen, seinen Zorn. Mit diesen guten Erinnerungen und dem neuen Erleben vervollkommnet sich das Bild von den Eltern. Die Sorge, ihre Liebe durch den »Eindringling« zu verlieren, verflüchtigt sich.

Wie ein Vater ganz intuitiv seinem Sohn helfen kann, in dieser Weise mit seiner Eifersucht fertig zu werden, erlebte ich bei Freunden aus Israel. Alle ergingen sich in Entzücken über das vier Monate alte Baby Eden, während der achtjährige Bruder Jam sich merkwürdig still abseits hielt. Um ihn wieder in unsere Aufmerksamkeit einzubeziehen, fragte ich den Vater, wie Jam wohl damals, mit wenigen Monaten, gewesen war, »sicher so ähnlich wie der Kleine«, vermutete ich. Zu meinem Erstaunen antwortete der Vater, »Nein, er war ganz anders, als er klein war«, und fügte hinzu: »Er hatte ja noch keinen großen Bruder.«

Plötzlich sind diese Älteren dann stolz, schon vieles zu können, was das Kleine nicht kann. Es gibt ihnen Gelegenheit, Großmut zu zeigen. Sie wollen ihm ihre Fähigkeiten zeigen und etwas davon abgeben. Und wenn sie mithelfen, sind ihre Gefühle dabei nicht mehr so zwiespältig wie vorher.

Jetzt wird das Mithelfen wirklich sinnvoll. Das Kind ist nun nämlich reif für einen weiteren Schritt in der Überwindung seiner Eifersucht: Es beginnt, sich in andere hinein, sich an ihre Stelle zu versetzen. Es wird fähig, sich auch einmal an die Stelle der Mutter zu versetzen, die das Baby füttert. Jetzt hilft ihm das Spielen: Mit einer Puppe kann es ausprobieren, wie es ist, die Mama zu sein. Ebenso kann es das mit anderen Kindern probieren, im »Mutter-und-Kind-Spielen«. Es hat seinen Grund, warum alle Kleinen beiderlei Geschlechts dieses Spiel so lieben. Es gibt ihnen wie alle Rollenspiele die Möglichkeit, in die Haut eines anderen – des Vaters oder der Mutter oder des Babys – zu schlüpfen, ohne sich selber dabei zu verlieren.

Sie können in der Mutterrolle zeigen, dass sie liebevoll, großmütig, großzügig, verzeihend sind, das heißt, eine Seite herauskehren, auf die sie stolz sein können – ganz positive »gute« Gefühle. Und wenn sie Schelte und Strafe an ihre imaginären Kinder austeilen, leben sie spielerisch-ungefährlich ihre negativen Empfindungen aus.

Wenn ein älteres Geschwisterkind so seine Eifersucht überwindet, hat es gleichzeitig eine für sein Leben wichtige Erfahrung gemacht. Es hat aus der Situation noch einmal gelernt: Meine Eltern sind verlässlich. Ich kann ihre Liebe nicht verlieren. Was auch passiert, niemand und nichts vermag mich aus ihrem Herzen zu verdrängen. Denn davor hat es letztendlich am meisten Angst.

Ein kleiner Junge seufzte nach der Geburt eines neuen Babys

häufig und vergrub dabei sein Gesicht in den Händen. Als ihn der Vater fragte, warum er das täte, sagte er: »Weil ich traurig bin.« Warum er denn so traurig sei, wollte der Vater wissen. Seine Antwort: »Weil ich meine Mama wiederhaben will.«[33]

Hier noch eine Warnung: Viele Eltern meinen, es sei manchmal besser, einem Kind, statt es zu strafen, anzudrohen, man habe es »dann« nicht mehr lieb. Egal, in welcher Situation: Das sollten Eltern niemals tun. Sie verspielen damit das Wichtigste, das sie haben, das Vertrauen des Kindes. Liebe ist nichts, das man an- oder abknipst je nach Bedarf und Verhalten des anderen. Eltern wissen das auch. Sie sagen solche Dinge also gegen ihr besseres Wissen. Sie schaden ihrem Kind damit ebenso wie sich selber und der gemeinsamen Beziehung, die ja die Basis für alles ist, was später gelernt und gelebt wird.

Mit Eifersucht umgehen lernen heißt bei einem Kleinkind vor allem, es ausreichend *vorbereiten*. Alles, was es vorhersehen und verstehen kann, ist für ein Kind im Vorschulalter leichter zu bewältigen.

Die Eltern helfen ihm dabei auf vielerlei Weise, so wie es ihrem persönlichen Lebensstil entspricht. Lange, bevor das neue Baby da ist, erzählen sie davon und lassen das Kind Anteil an allem nehmen. Besser noch ist es, wenn die Worte wirkliches Miterleben begleiten und erklären. Wenn die schwangere Mutter ihr zweijähriges Kind auf den Schoß nimmt, kann sie es spüren lassen, dass sich da etwas verändert. Das Kind kann erleben, wie das noch unsichtbare Baby im Bauch der Mutter wächst, größer und dicker wird. Dabei können ihm die Mutter und der Vater mit Worten, aber auch durch ihr liebevolles Verhalten, klarmachen, dass sie sich auf das Baby freuen, dass sie es lieben werden, wahrscheinlich genauso wie die große Schwester. So erlebt sie schon ein wenig im Voraus, wie es sein wird, weiterhin sicher aufgehoben zu sein in der Liebe ihrer Eltern, wenn da ein anderes Kind kommt.

Ebenso können die Eltern das Kind bereits an den Vorbereitungen für das neue Geschwisterchen teilhaben lassen, gemeinsam die ersten Sachen aussuchen, alte Babykleidung in Ordnung bringen, ein Bettchen für den Neuankömmling herrichten.

All das gibt Gelegenheit, mit den Älteren darüber zu reden, wie er oder sie damals gewesen sind, welche Besonderheiten sie hatten, wie sich Mama und Papa gefreut haben, als sie dies oder das plötzlich konnten – mit dem Löffel essen, Bauklötzchen aufeinander türmen, allein sitzen, laufen ...

So können Eltern ihre freudige Erwartung mit ihrem Kind wirklich teilen. Und es wird fast von allein verstehen, dass Mama dann mit zwei Kindern genauso lieb sein muss wie jetzt mit einem. Sie möchte natürlich, dass ihr das große Kind dabei hilft. Es wird eine wichtige Rolle als »großer« Bruder oder »große« Schwester spielen.

Alle diese Dinge machen es dem Kleinkind leichter, die Dinge vorherzusehen. Es wird nicht so schockartig von ihnen überrascht, sondern wächst langsam selber in die neue Situation hinein.

Wenn die Zeit gekommen ist, wird es vielleicht trotzdem noch eifersüchtig sein, aber besser mit seinen Gefühlen umgehen und sie besser überwinden können als ein unvorbereitetes Kind.

Kleinkinder erleben Gefühle sehr intensiv, vielleicht intensiver als wir. Denn sie haben noch keine Strategien entwickeln können, um mit ihnen zurechtzukommen. Dazu reichen ihr

Erkenntnisvermögen, ihr analytischer Verstand und auch ihre Vergleichsmöglichkeiten und Erfahrungen noch nicht aus. Darum brauchen sie in wichtigen, sie emotional stark berührenden Situationen unsere vorbereitende Hilfe. Wenn sie von den Ereignissen und ihren eigenen unverständlichen Gefühlen zu sehr überrascht werden, versuchen sie sich dagegen zu wehren: Diese »bösen« Gefühle wollen sie nicht erleben. Darum verschließen sie sich nun vielleicht, ziehen sich ganz zurück, werden aggressiv.

Wir haben erklärt, dass Eltern ihr Kind diese Gefühle ausleben lassen sollten. Es ist wichtig, dass sie selber die Eifersucht ihres Kindes als normal empfinden, ja als Chance zur Fähigkeit für andere, von uns ethisch hoch bewertete Gefühle: Verantwortungsbewusstsein und Mitgefühl. Ohne die negative Mischung aus Empfindungen zu durchleben und in immer neuen Stadien des Bewusstseins zu bewältigen, wären diese »edlen« Gefühle nicht möglich.

So kann das Kind seine Gefühlsentwicklung durch alle notwendigen Phasen bis zum Ende gehen. Eltern, die ihm dabei wirklich zur Seite stehen, vermeiden dann, dass dieser lebendige Prozess irgendwann einfach (durch Strafen oder Unterdrücken) abgebrochen wird, dass ein Stillstand in der Entfaltung seiner Persönlichkeit eintritt. Dann müssten diese negativen Gefühle erhalten bleiben, erstarrt wie ein Insekt, das in einem Bernstein eingeschlossen ist. Vielleicht würde ein solches Kind sein ganzes Leben lang seine Eifersucht nicht überwinden. Später als Erwachsener, der immer auf irgendjemanden neidisch oder eifersüchtig ist, wird es gar nicht mehr wissen, warum. Die Erinnerung ist ihm verloren gegangen. Geblieben sind nur die bei jeder Gelegenheit aufbrechende Eifersucht und der Neid.

Mitgefühl – angeboren oder anerzogen?

Kinderzimmer einer Entbindungsklinik. Alle Babys scheinen satt, zufrieden oder müde zu sein. Jedenfalls herrscht Stille. Da beginnt eins der Neugeborenen zu weinen, so, als fehle ihm etwas oder als habe es Schmerzen. Es dauert nicht lange, da beginnt ein anderes mitzuweinen. Nicht aus Schmerz oder weil ihm etwas fehlt. Es scheint zu weinen, weil das andere weint. Warum? Ist es beunruhigt, fühlt es mit? Jedenfalls war das Schreien des anderen für dieses Kind ein Signal, dass etwas nicht in Ordnung ist.

Übrigens scheinen als Erste immer kleine Mädchen zu reagieren. Dies jedenfalls berichtet ein französischer Psychiater, der die Geschlechtsunterschiede der Emotionen untersuchte.[34]

Eine Mutter mit ihren zwei Kindern beim Einkaufen. Das eine, in einer Karre sitzend, beginnt zu weinen. Es hat seinen Schnuller verloren. Der kleine Bruder, eindreiviertel Jahre alt, beugt sich sofort zärtlich über das Baby, streichelt seine Wange, küsst und umfasst es zärtlich.

Im Kindergarten. Ein kleines Mädchen stolpert über Bauklötze. Es tut sich beim Hinfallen weh und weint. Der dreijährige Andreas, der neben ihr gespielt hatte, steht auf, geht zu einer Bank, auf der er morgens seinen Lieblingshasen deponiert hat, holt sein Schmusetier und bringt es der kleinen Luise. Auch Sandy, schon vier Jahre alt, hat das Missgeschick der Kleinen beobachtet. Sie weiß, wo Luise ihren eigenen Teddy hingelegt hat. Den holt sie nun und bringt ihn Luise.

Vier Kinder haben hier Mitfühlen ausgedrückt – aber wie unterschiedlich. Kein Wunder, denn sie sind alle verschieden alt und verschieden »reif«.

Das Mitgefühl für andere scheint von der Natur im Menschen »eingeplant« zu sein. Trotzdem braucht es ein gutes Umfeld und entsprechende Erlebnisse, um sich richtig entfalten zu können. Die Familie ist der ideale »Nährboden« dafür. Denn hier erlebt schon das Baby von den ersten Lebensstunden an, was Mitgefühl ist. »Naaa, mein Kleiner, hast du Hunger? Tut dir das Bäuchlein weh? Ach, hast du's aber schwer«, all das sagt die Mutter nicht nur, sie lässt es das Baby auch mit allen ihren anderen intuitiven Fähigkeiten spüren: mit Streicheln, Schaukeln, Herumtragen, mit ihrer Mimik und Körpersprache. Das Neugeborene kann dieses Gefühl zwar noch nicht als Mitgefühl »erkennen«, aber es ist ständig von ihm umgeben, durch seine ganze Kindheit hindurch. Und es ist nicht gleichgültig, ob es jedes Mal, wenn ihm etwas Schlimmes, Beängstigendes, Schmerzbereitendes oder Trauriges zustößt, sich darauf verlassen kann, dass Mama und Papa mitfühlend trösten. Die Sicherheit der frühen Bindung, von der wir so viel gesprochen haben, zeigt hier noch einmal ihre volle Bedeutung.

Ein Kind, das in tausend kleinen Situationen erlebt hat, dass seine Eltern *feinfühlig* spüren und prompt reagieren, wenn etwas bei ihm nicht in Ordnung ist, das darin nie entäuscht worden ist, nimmt diese Erfahrung in sich auf. Wie die aufbauenden Nährstoffe der Muttermilch, so intensiv, dass sie von nun an zu einem Teil, einem Merkmal seiner eigenen Persönlichkeit wird.

Wenn aus dem Baby ein Kleinkind wird, setzt sich diese Erfahrung fort und verfeinert sich, denn es versteht nun mehr, wie die Dinge zusammenhängen: Welches die Ursachen für menschliche Kümmernisse sein können, dass nicht jeder den gleichen Trost braucht, ja später sogar, dass es selber die Ursache für ein Leid oder der Urheber eines Schmerzes sein kann. Wir haben Ähnliches anhand der verschiedenen Entwicklungsstadien der Eifersucht bereits gezeigt.

Das eifersüchtige Kind leidet unter seinen negativen Gefühlen und Handlungen. Wenn liebevolle Eltern ihm helfen, diese Erfahrung zu durchleben, das heißt, wenn sie sich ein wenig an seine Stelle versetzen können, muss es sich nicht nur als negativ erleben. Nach und nach keimt bei ihm irgendwann das Verständnis, dass es nicht nur Schlimmes zufügen, sondern auch *wieder gutmachen* kann. Es hat sich im Mutter-Kind-Spiel an die Stelle des anderen versetzen können. An die Stelle des Babys und die der Mama. Sich in einen anderen hineinversetzen können. Es fühlt mit.

So, wie die Menschen in seiner Nähe mit ihm und anderen umgehen – wenn etwas wehtut, wenn es Hunger hat, friert, traurig ist, etwas verloren oder kaputt geht, ein geliebter Mensch fehlt, wenn es etwas nicht geschafft hat, wenn es Enttäuschung, Demütigung oder Zorn einstecken musste – nach diesem gelebten Modell lernt es auch sich selber verhalten. Weniger jedoch, weil wir es ihm sagen oder erklären. Das ist genau genommen die Erziehung.

Wir haben im Kapitel über die frühe Bindung geschildert, wie sich Kleinkinder im Kindergarten mit ihren Altersgenossen je nach ihren frühen Erfahrungen verhalten: Freundlich, aufgeschlossen, Anteil nehmend waren diejenigen, die in einer sicheren Beziehung aufgewachsen waren, unkooperativ, aggressiv, ängstlich und wenig Anteil an Schmerzen anderer nehmend die anderen, die diese Geborgenheit nicht erlebt hatten. Wir sprechen hier von Extremen, die man jedoch ganz deutlich unterscheiden kann. In vielen Fällen sind weder die frühen Erfahrungen des Kindes noch sein eigenes Verhalten so krass.

Wir haben bereits verstanden, dass Mitgefühl sich nur unter bestimmten Voraussetzungen voll entfalten kann, dass es jedoch nicht in jedem Alter das Gleiche bedeutet. Es lohnt sich, die Entwicklung dieses Gefühls genauer nachzuzeichnen. Gehen wir darum noch einmal zum Anfang zurück.

Mitgefühl, so wie wir es als Erwachsene verstehen, können wir nicht von Anfang an von einem Baby erwarten. Im Laufe der ersten Lebensmonate und Jahre erlebt es Mitgefühl immer wieder neu und anders.

Mitfühlen, das heißt ja, dass da zumindest zwei Menschen sind. Einer, der leidet oder Trost braucht, und ein anderer, der mit ihm fühlt. Ein Kind muss sich also schon als eigenständiges »Selbst« empfinden, um für einen anderen Empathie fühlen zu können. Am Lebensanfang kann es das sicher noch nicht. Es bringt zwar ein gewisses Empfinden von sich mit auf die Welt, aber noch nicht als von der Mutter getrenntes Wesen. Wir sagen: Es ist noch »eins« mit der Mutter. Wirklich *erkennen* kann es sich selbst offenbar erst im zweiten Lebensjahr. Dann erst bietet ihm seine kognitive Entwicklung die ausreichende Voraussetzung dafür.

Zuerst erlebt es also das Mit-Fühlen noch stark als eigenes Fühlen. Babys schreien, wenn andere schreien. Sie können gleichzeitig mit dem anderen Baby eine starke Empfindung haben, aber noch kein echtes Mitgefühl in unserem erwachsenen Sinn.

Wenn das Kind *ein Jahr alt* ist, beginnt es sich einem anderen zuzuwenden, das Kummer oder Schmerzen hat. Das verstehen wir nun schon als Mitgefühl oder Mitleid. Der vorangegangene und gleichzeitige Prozess der *Abstimmung* auf die Gefühle des anderen hat dafür sicher den Boden bereitet. Wahrscheinlich gerät das Mit-Fühlen in dieser Zeit noch stark mit dem eigenen Fühlen »durcheinander«. Das Kind erlebt den Kummer des anderen häufig noch als eigene Angst.

Mit zwei Jahren bekommt es immer mehr eine Vorstellung von sich selber – dazu muss es eben schon eine ganze Entwicklung hinter sich haben. Trotzdem begreift ein zweijähriges Kind den Kummer der anderen noch immer sehr an seine eigenen Empfindungen angelehnt. Es tröstet das andere Kind so, wie es selber gern getröstet werden will. Es holt zum Beispiel seine eigene Mutter, weil es sich vorstellt, dass niemand besseren Trost spenden kann als sie. Oder es bringt sein Lieblingsspielzeug. »Sieh mal, damit tröste ich mich, wenn ich traurig und allein bin. Es wird also auch dich trösten.« So etwa mag es denken – wie der kleine Andreas, der seinen Lieblingshasen holt, um Luise beizustehen.

Mit drei Jahren erreicht das Kind eine neue Fähigkeit: Es passt sich mit seinem Mitgefühl und seinem Trösten schon mehr den Bedürfnissen des anderen an, das traurig ist oder Schmerzen hat. Nun holt es eher die Mutter des Kindes als seine eigene. Es hat also verstanden, dass das andere Kind etwas anderes braucht als es selber. So hat es die dreijährige Sandy gemacht und der weinenden Luise deren eigenen Teddy geholt.

Später, wenn es noch weiter in seinem Verständnis von sich und der Welt ist und seine Erfahrungen in der Familie und im Kindergarten sich vervollständigen, beginnt es sogar zu begreifen, dass es *selber die Ursache* für den Kummer eines anderen Kindes oder der Mutter sein kann. Es lernt sein Verhalten danach abzustimmen, rücksichtsvoll mit anderen umzugehen.

Jedoch machen Dreijährige noch einen Unterschied in der Zuteilung ihres Mitgefühls: Sie sind eher zu trösten bereit, wenn sie *nicht selber* die Ursache für den Kummer oder Schmerz des anderen Kindes sind. Wenn sie nicht daran »schuld« sind. Die kanadischen Emotionsforscher Oatley und Jenkins ziehen daraus den Schluss, dass Kinder dieses Alters sich in zunehmendem Maße an die Stelle anderer versetzen und vor allem, dass sie *Schuld empfinden* können. Dies ist die Voraussetzung dafür, dass sie ihr eigenes Verhalten nun korrigieren können, ein wichtiger Entwicklungsschritt.

Daraus ergibt sich, dass das Kind zwischen drei und vier Jahren fähig wird zu begreifen, dass die *Gefühle eines anderen nicht seine eigenen sind*, dass sie sich von diesen unterscheiden. So wird es sich später wirklich *bewusst*, dass andere Lebenserfahrungen als seine eigenen auch zu anderen Empfindungen und Reaktionen führen können.

Halten wir noch einmal die verschiedenen, aufeinander aufbauenden Phasen dieser Wandlung des Mitgefühls fest:

Zuerst unterscheidet das Baby nicht klar zwischen eigenem Empfinden und Mitgefühl.

In der nächsten Phase erkennt das Kleinkind, dass ein anderes Kind Kummer hat. Es tröstet noch so, wie es selber gern getröstet werden würde.

In einer dritten Phase begreift es schon, dass das andere Kind anders empfinden kann als es selbst und vielleicht auch anderen Trost braucht. Es versetzt sich bereits ein wenig an seine Stelle.

In der vierten Phase unterscheidet es sogar schon, ob es selber den Kummer des anderen hervorgerufen hat. Es kann sein Verhalten entsprechend ändern.

In einer fünften Phase, die sich genau genommen bis ins Erwachsensein hinzieht, wird es mit zunehmender Sprachbeherrschung und im Gesprächsaustausch mit anderen über Emotionen fähig, wirklich zu begreifen, dass die Gefühle eines anderen Menschen auch aus anderen Erfahrungen, aus einer anderen

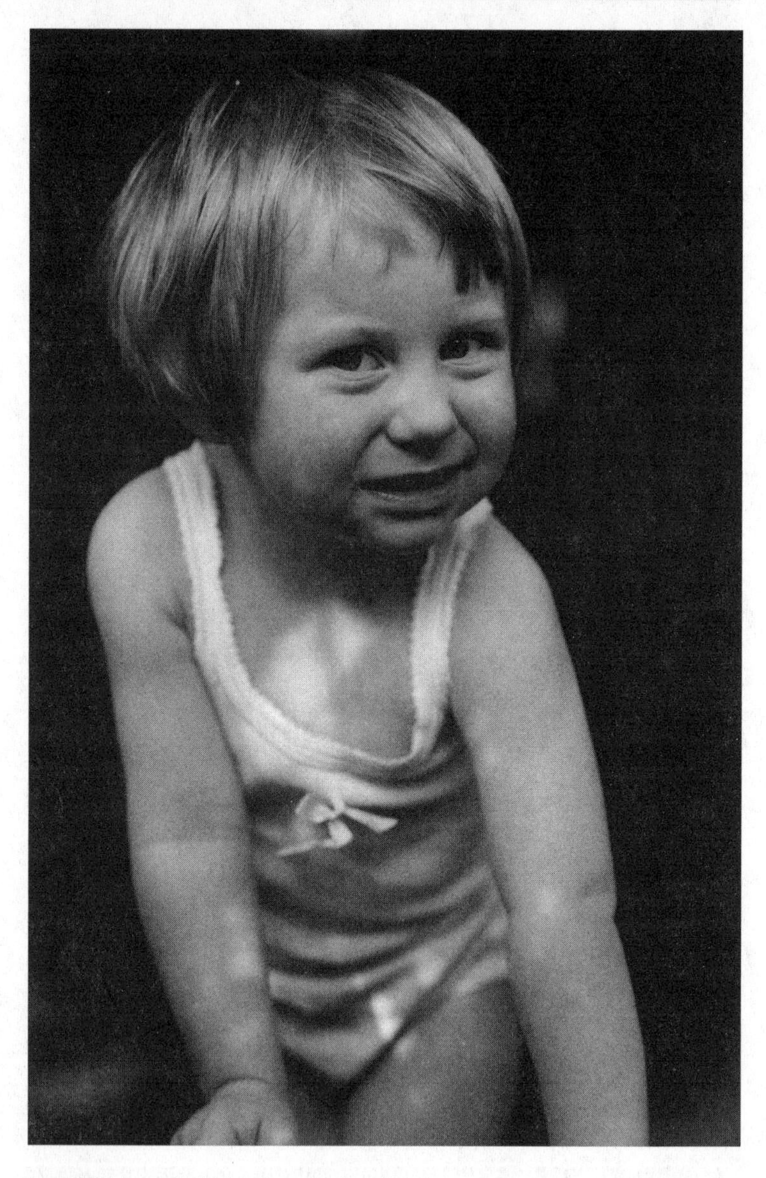

Ida, drei Jahre: »Soll ich oder soll ich nicht?«

Lebensgeschichte hervorgegangen sind. Es versteht, dass andere darum auch anders reagieren und handeln als es selber.

Dies ist ein weiter Entwicklungsweg. Nicht alle gehen ihn zu Ende. Er gelingt nur, wenn das Kind in einem liebevollen Umfeld alle die dazu notwendigen Erfahrungen sammeln kann.

Am Mitgefühl zeigt sich deutlich, dass Erziehung in Form von Verhaltensmaßregeln nicht viel wert ist, dass sie nicht mehr als Dressur bewirkt. Eine wirkliche Entwicklung des Gefühls wird dadurch nicht gefördert. Jedes Kind wird Mitgefühl entwickeln, wenn wir ihm dazu die Chance geben.

Wir begreifen nun auch, welch ungeheure Aufgabe Eltern bewältigen, wenn sie ihren Kindern eine solche Wanderung durch die verschlungenen Wege der Gefühle ermöglichen, was es bedeutet, wenn sie sie stets liebevoll begleiten. Ihre einzige, aber auch beste Belohnung ist, selber die Gefühle ihres Kindes in allen Stadien mitzuerleben und zurückzubekommen.

Nachwort

Am Ende dieses Jahrhunderts schreibt Katharina Zimmer ein Buch mit dem Titel *Erste Gefühle.*

Das verwirrt. Hat nicht Sigmund Freud zu Beginn dieses Zeitalters die Psychologie populär gemacht? Wissen wir denn nicht alles über unsere Gefühle? Anscheinend nicht! Einiges wurde wohl ausgeklammert.

So sah sich ein Ordinarius für Kinderheilkunde noch 1986 gezwungen, die Aussage eines Artikels zu kritisieren, in dem medizinische Experten verschiedener Fachdisziplinen ernsthaft die Frage diskutierten, ob Feten und Neugeborene ein Schmerzempfinden hätten. Sei eine Anästhesie überhaupt notwendig, wenn man die kleinen Kinder operiere?

Anscheinend vertraten noch vor kurzer Zeit viele Scholastiker die Auffassung von G. Campayré[35], der 1900 in einem damals hochdekorierten Werk äußerte: Ein Halbbewusstsein und eine Halbempfindlichkeit, in die die Neugeborenen versenkt seien, versage ihnen deutliche Wahrnehmungen und lebhafte Lustempfindungen und erspare ihnen so auch allzu quälende Schmerzen.

Eine Ungeheuerlichkeit, die nur durch Weltfremdheit solcher Akademiker zu entschuldigen ist, die zwangsläufig ohne vermeintliche Beweise gar nicht in der Lage sind zu sehen, was offen zu Tage liegt.

Beim Lesen dieses Buches, das sich, wie bei der Autorin nicht anders zu erwarten, auf das gesamte Spektrum der relevanten wissenschaftlichen Erkenntnisse stützt, erfahren wir, dass es inzwischen durchaus Beweise dafür gibt, dass der Fetus und das Neugeborene *fühlen*, und zwar viel mehr, als man sich vorzustellen wagte.

Katharina Zimmer informiert den Leser aber nicht nur umfassend über die Gefühlswelt der Feten, Früh- und Neugeborenen und Kleinkinder und die damit verbundenen physiologischen und psychologischen Aspekte, sondern rührt gleichzeitig an unser eigenes Gefühl, wie zum Beispiel bei der Geschichte von Rachel.

Ausgehend von den Erläuterungen zu den richtungsweisenden Anmerkungen, die Donald W. Winnicott zur Bedeutung der geliebten Schmusetücher oder Kuscheltiere als so genannte »Übergangsobjekte« gemacht hat, erzählt sie die Geschichte einer jungen Mutter. Diese, gezwungen sich sehr früh zeitweise von ihrem Kind zu trennen, versorgt ihre Tochter mit einem Püppchen, greift aber ihrerseits auch auf ein Übergangsobjekt zurück, um die Trennung überhaupt ertragen zu können. Wenn sie es nicht mehr aushält, geht sie kurz hinaus und schnuppert an dem benutzten Lätzchen, das sie immer in der Tasche trägt. Eine Vorstellung, die zutiefst bewegt.

Hier wird offensichtlich, dass nur eine Frau in der Lage ist, die behandelte Thematik so empfindsam, gleichfalls aber ebenso farbig und lebendig darzustellen, wie es im vorliegenden Buch der Fall ist.

Die Autorin, die immer auch von den Erfahrungen geprägt bleibt, die sie als Mutter gemacht hat, verbindet auf faszinierende Art und Weise die Darstellung des theoretischen Hintergrundwissens mit der Beschreibung intuitiver Handlungen.

Das Kapitel über »Babytalk«, ein Phänomen, das vielen völlig banal erscheint, sollte ruhig zweimal gelesen werden.

Die Leserinnen und Leser erfahren, wie wenig wir darüber *wissen*, was wir tatsächlich *mitteilen*, wenn wir *sprechen*. Kommunikations- und Gefühlsebene greifen höchst komplex ineinander. Um dies darzustellen, führt Katharina Zimmer immer wieder Beispiele an, wie Mütter mit ihren Kindern sprechen, seien sie noch ungeboren oder schon auf der Welt. So wird deutlich, wie sehr die schon als Anlage vorhandenen Gefühle der Babys auch durch die verbale Kontaktaufnahme geprägt und entwickelt werden. Die sprachliche Kommunikation gewinnt neben Körpersprache und Mimik eine zunehmende Bedeutung. Mehr und mehr gestalten die Kinder zuerst plappernd und dann sprechend das sozial-affektive Umfeld mit. Wie existentiell eine ungestörte Reifung der Gefühle ist, erleben Kinderärzte hautnah am Beispiel der mit »somatischen« Störungen vorgestellten Kinder, bei denen sich dann eine »psychische« Alteration als Ursache herausstellt.

Der Autorin gelingt es mühelos, uns Schritt für Schritt zur Erkenntnis zu führen, wie sehr Gefühle von beziehungsstiftender Kommunikation leben. Eltern und alle Erwachsenen, insbesondere diejenigen, die professionell mit Babys zu tun haben, können aus dem Buch viel über sich und die zwischenmenschliche Bedeutungszuweisung erfahren, ohne die es eine ethische Basis nicht geben könnte.

Dies erscheint paradox, Gefühle sollen für staatstragende Werte entscheidend sein? Aber wie gestaltet sich denn zum Beispiel tatsächlich eine geheime Wahl, die die Grundlage der Demokratie bildet? Die innere Welt eines Wählers wird für einen begrenzten Zeitraum zur Bühne des Wahlkampfes, der massiv auf die Gefühle der Wähler abzielt. Je tiefer die zur Wahl Aufgerufenen ihre Gefühle empfinden, um so mehr können sie die ganze Verantwortung für ihr Handeln übernehmen.

In diesem Sinn beschreibt Donald W. Winnicott[36] eine echte Demokratie so:

»In dieser Gesellschaft ist zu dieser Zeit genügend Reife in der Gefühlsentwicklung eines ausreichend großen Teils der Individuen vorhanden, aus denen sie besteht, so dass eine angeborene Tendenz zur Schaffung und erneuten Schaffung und Aufrechterhaltung des demokratischen Apparats existiert.«

Wenn Gefühle nicht nur für unseren persönlichen, sondern auch für den politischen Bereich von entscheidender Bedeutung sind, ist es im eigenen Interesse, dafür zu sorgen, ihnen eine ungestörte Entwicklung und Entfaltung zu ermöglichen.

Voraussetzung zur Förderung von Entwicklungen ist, möglichst exakt zu wissen, wann das Objekt der Betrachtung vorhanden ist. Gibt es einen Zeitraum im frühen menschlichen Leben, in dem Gefühle sicher nachweisbar sind?

Heute werden immer jüngere, extrem unreife Frühgeborene behandelt und damit auch beobachtet. Auch die Allerkleinsten zeigen durchaus differenzierte Gefühlsäußerungen, die ein erfahrener Neonatologe sehr wohl zu werten weiß. Somit besitzen Frühgeborene die Möglichkeit der interaktiven Kommunikation. Ihre Mimik und Körpersprache ist von enormer Auswirkung auf das affektive Erleben und Verhalten derjenigen Menschen, die zum ersten Mal mit Kindern konfrontiert werden, die bei der Geburt ein Gewicht von unter 1000 Gramm aufwiesen. Die Botschaften dieser äußerst zerbrechlich erscheinenden, extrem unreifen Frühgeborenen haben eine ungewohnt starke Ausstrahlungskraft.

Eher allgemeine Signale von Hilflosigkeit, gepaart mit dem Ausdruck des Wunsches nach Geborgenheit, werden kontrastiert von eindeutigen Gefühlsäußerungen wie Lächeln, Weinen, Zorn und Entspannung. Dies ruft primär widersprüchliche Reaktionen hervor, nämlich: Abschreckung und Abwehr. Jedoch hinterlässt ein solches Erlebnis bleibende Emotionen, die noch lange Zeit zwingen, darüber nachzudenken und davon zu berichten.

Diese Erfahrungen machen auch erfahrene Kinderkrankenschwestern und -pfleger, Ärztinnen und Ärzte, wenn sie sich dem Gebiet der Frühgeborenenmedizin zuwenden.

Wie bei allen Menschen, die der Betreuung bedürfen, ist das Kommunikationsangebot gerade bei Frühgeborenen verschlüsselt. Deshalb haben vor allem Ärzte, die mehr noch als ihre ärztlichen Kolleginnen einem monokausalen Ansatz anhängen, Schwierigkeiten die Sensitivität zu entwickeln, die notwendig ist, um ihren Patienten nahe kommen zu können.

Es kostet Überwindung, anstelle von derzeit üblichem medizinisch-technischem Denken eine sozialisierende Übersetzung zuzulassen und eine ganzheitlich orientierte Haltung einzunehmen.

Am wichtigsten ist dabei im Bereich der Frühgeborenenmedizin die Beobachtung der kleinen Patienten. Nur so können ihre Gefühle, die sie so wunderbar vermitteln, in die ärztliche Intuition einfließen.

Gleichzeitig werden die Eltern mit in das beziehungsstiftende Fürsorgeteam für ihr Kind aufgenommen. Die meisten von ihnen erfassen jede Gefühlsäußerung ihres Kindes sofort und reagieren darauf entsprechend besorgt oder freudig.

Nur so gelangen die auf einer Frühgeborenen-Intensivstation Beschäftigten zur kompetenten Einschätzung des Befindens der anvertrauten Patienten und können angemessene Konsequenzen ziehen.

Die Erfahrungen mit extrem unreifen Frühgeborenen öffnen ein Fenster, durch das wir Einblick in die pränatale Welt bekommen. Mit Erstaunen stellen wir fest, wie früh Gefühle angelegt sind.

Mit der Geburt treten die Kinder in die Welt der sozialen Beziehungen ein. Die Entwicklung der Gefühle erfährt nun eine andere Dimension.

Dies beschreibt der Kinderarzt John Davis[37] in einem Ansatz, den er gegenüber Donald W. Winnicott einmal erwähnte, so: In einem Neugeborenen seien Physiologie und Psychologie *eins.* Die Psychologie wachse allmählich aus der Physiologie heraus.

Am Ende dieses Jahrhunderts, in dem unter anderem die Psychologie zu einer beherrschenden Disziplin heranwuchs, war es unumgänglich, endlich ein umfassendes Buch über die vielfach noch so unbekannten »ersten Gefühle« vorzulegen.

Wir sollten so weit wie möglich über unser Seelenleben Bescheid wissen, wenn am Übergang ins nächste Jahrtausend damit begonnen wird zu erforschen, ob nicht auch Computer leben und eine Seele haben.

Bernhard Ibach

Leiter der Neonatologischen und Pädiatrischen Intensivstation
der Klinik für Kinder und Jugendliche am Klinikum Remscheid

Anhang

Anmerkungen

1 Karin Grossmann, Nachwort zu Katharina Zimmer: *Warum Babys und ihre Eltern alles richtig machen. Über die ungeahnten Fähigkeiten, die ihnen die Natur in die Wiege gelegt hat*, Goldmann Verlag, München 1997
2 Nach einer anderen medizinischen Tradition spricht man vom Fötus oder Fetus erst nach dem ersten Schwangerschaftsdrittel.
3 Antonio R. Damasio: *L'Erreur de Descartes*, Odile Jacob, Paris 1995, S. 209 (auf Deutsch: *Descartes' Irrtum. Fühlen, Denken und das menschliche Gehirn,* dtv-Verlag, München 1997)
4 Alicia F. Lieberman: *The Emotional Life of the Toddler*, The Free Press, New York 1993, S. 124 (auf Deutsch: *Ein kleiner Mensch. Das Gefühlsleben des Kindes in den ersten drei Jahren,* Rowohlt Verlag, Reinbek 1995),
5 Siehe auch Donald W. Winnicott: *Babies and Their Mothers*, Addison-Wesley Publishing Co. Inc., Reading, Massachusetts 1987
6 Ursula Wegener: *Das erste Gespräch. Kommunikationsformen zwischen Mutter und Kind unmittelbar nach der Geburt,* Waxmann, Münster 1996, S. 180
7 Siehe auch Karin Grossmann, Nachwort zu Katharina Zimmer: *Warum Babys und ihre Eltern alles richtig machen. Über die ungeahnten Fähigkeiten, die ihnen die Natur in die Wiege gelegt hat,* Goldmann Verlag, München 1997
8 Paula M. S.Ingalls: »Birth Traumas. Violence Begets Violence«, in: *The International Journal of Prenatal and Perinatal Psychology and Medicine*, Vol. 9, Number 2, Juni 1997, S. 181-195, Mattes Verlag, Heidelberg

9 Hilfe und Informationen erhalten Eltern von »Schreibabys« in den verschiedenen (neurologischen) Kinderzentren, beispielsweise in der von Mechthild Papousek eingerichteten »Schreisprechstunde« im Kinderzentrum München. Außerdem bieten die Gruppen der PEKIP (Prager-Eltern-Kind-Programm) eine gute Begleitung im ersten Lebensjahr, um solche Probleme aufzufangen. Auskünfte erteilen Ortskrankenkassen oder das Rote Kreuz.

10 Siehe auch Daniel N. Stern: *Tagebuch eines Babys. Was ein Kind sieht, spürt, fühlt und denkt,* Piper, München, 5. Auflage 1997

11 Alicia Lieberman: a. a. O., S. 126

12 Donald W. Winnicott: *Talking to Parents*, Addison-Wesley Publishing Co. Inc., Reading, Massachusetts, o. J., S. 3-4 (auf Deutsch: *Kinder, Gespräche mit Eltern.* Klett-Cotta Verlag, Stuttgart 1994)

13 Tiffany Martini Field: »Interactions of High-Risk-Infants: Quantitative and Qualitative Differences«, in: *Exceptional Infant,* Bd. 4, Brunner/Mazel Inc., New York 1980

14 Louis Genevie/Eva Margolies: *The Motherhood Report – How Women Feel About Being Mothers*, Macmillan Publishing Company, New York 1987, S. 201-202

15 Louis Genevie/Eva Margolies: a. a. O., S. 203-206

16 P. H. Mussen (Hrsg.).: »Piaget's Theory«, in: *Carmichael's Manual of Child's Psychology,* Band V, John Wiley & Sons Inc., New York 1970

17 Daniel N. Stern: *Tagebuch eines Babys. Was ein Kind sieht, spürt und denkt,* Piper, München 1991, S. 24-29

18 Leiterin des Sozialpädiatrischen Zentrums Hamburg

19 Der Begriff wurde von Karl Bühler geprägt.

20 Zitiert nach Margaret Donaldson: *Children's Minds,* W.W. Norton & Co., New York 1979, S. 130 (auf Deutsch: *Wie Kinder denken,* Hans Huber Verlag, Göttingen 1982)

21 Daniel N. Stern: *Die Lebenserfahrung des Säuglings*, Klett-Cotta Verlag, Stuttgart, 4. Aufl. 1994, S. 106

22 Keith Oatley/Jennifer M. Jenkins: *Understanding Emotions,* Blackwell Publishers, Cambridge, Massachusetts 1996, Kapitel 6

23 Paul L. Harris: »The Child's Understanding of Emotion: Developmental Change and the Family Environment«, in: *Journal of Child Psychology and Pychiatry,* Vol. 35, No. 1, S. 5

24 (auf Französisch: Paul D. MacLean/Roland Guyot: *Les trois cerveaux de l'homme. Trois cerveaux herités de l'évolution coexistent difficilement sous le crâne humain.* Robert Laffont, Paris 1990

25 Hanus und Mechthild Papousek haben dies ebenfalls in ihren eindrucksvollen Arbeiten über Schreien, den ersten Blickkontakt und die Ammensprache demonstriert.
26 Diese Hypothese wurde von James McKenna vom Pomona College in Claremont, Kalifornien, vorgestellt.
27 Zitiert aus: W. Schiefenhövel/R. Krell/J. Uher (Hrsg.): *Eibl-Eibesfeldt – Sein Schlüssel zur Verhaltensforschung,* Langen-Müller-Verlag, München 1993
28 Daniel N. Stern: *Die Lebenserfahrung des Säuglings,* Klett-Cotta Verlag, Stuttgart, 4. Aufl. 1994, S. 171-172
29 Alicia Lieberman, A.: a. a. O., S. 125
30 Alicia Lieberman: a. a. O., S. 128
31 Keith Oatley/Jennifer M. Jenkins: *Understanding Emotions,* a. a. O., S. 180-181.
32 Siehe auch Paul Harris: »The Child's Understanding of Emotion: Developmental Change and the Family environment« a. a. O.
33 Alicia Lieberman: a. a. O., S. 168
34 Alain Braconnier: *Le Sexe des Emotions,* Editions Odile Jacob, Opus 67, Paris 1998
35 G. Compayré: *Die Entwicklung der Kinderseele,* Druck und Verlag von Oskar Bonde, 1900
36 Donald W. Winnicott: *Familie und individuelle Entwicklung,* Fischer Verlag, Frankfurt/Main 1984
37 John Davis in: Donald W. Winnicott: *Das Baby und seine Mutter,* Klett-Cotta Verlag, Stuttgart 1990

Literaturempfehlungen

Jean A. Ayres: *Sensory Integration and the Child.* Western Psychological Services, Los Angelos 1993

John Bowlby: *A Secure Base – Parent Child Attachment and Healthy Human Development,* Basic Books 1988

Jerome Bruner: *Childs Talk. Learning to Use language.* W.W. Norton & Company, New York 1983

Margaret Donaldson: *Children's Minds,* W.W. Norton & Co, New York 1979 (auf Deutsch*: Wie Kinder denken,* Hans Huber Verlag, Göttingen 1982*).*

Keith Oatley/Jennifer M. Jenkins: *Understanding Emotions,*. Blackwell Publishers, Cambridge, Massachusetts 1996

Joy Doniger Osovsky: *Handbook of Infant Development*, Chapter 12: »Intuitive Parenting«. Jon Wiley & Sons, New York o. J.

Remo Largo: *Babyjahre – Die frühkindliche Entwicklung aus biologischer Sicht. Das andere Erziehungsbuch,* Piper, München, 5. Aufl. 1997

Alicia F. Lieberman: *The Emotional Life of the Toddler,* The Free Press, New York 1993 (auf Deutsch: *Ein kleiner Mensch. Das Gefühlsleben des Kindes in den ersten drei Jahren,* Rowohlt Verlag, Reinbek 1995)

Tiffany Martini Field: »Interactions of High Risk Infants: Quantitative and Qualitative Differences«, in: *Exceptional Infant*, Bd. 4, Brunner & Mazel, New York 1980

Desmond Morris: *Babywatching. Was Dir Dein Baby sagen will. Die Körpersprache der Babys*, Heyne Verlag, München 1996

Mechthild Papousek: *Vom ersten Schrei zum ersten Wort. Anfänge der Sprachentwicklung in der vorsprachlichen Kommunikation,* Hans Huber Verlag, Göttingen 1995

Wulf Schiefenhövel: »Ethnologisch humanethologische Feldbeobachtungen zur Interaktion mit Säuglingen«, in: *Fortschritte der Sozialpädiatrie.* Band 13: *Der unruhige Säugling,* Hansisches Verlagskontor, Lübeck 1989

W. Schiefenhövel/R. Krell/J. Uher (Hrsg.): *Eibl-Eibesfeldt. Sein Schlüssel zur Verhaltensforschung,* Langen-Müller-Verlag, München 1993

Sepp Schindler: *Geburt – Eintritt in eine neue Welt,* Dr. C. J. Hogrefe, Göttingen 1982

Daniel N. Stern: *Tagebuch eines Babys. Was ein Kind sieht, spürt, fühlt und denkt,* Piper, München 1991

Daniel N. Stern: *Die Lebenserfahrung des Säuglings,* Klett-Cotta Verlag, Stuttgart, 4. Aufl. 1994

Ursula Wegener: *Das erste Gespräch. Kommunikationsformen zwischen Mutter und Kind unmittelbar nach der Geburt,* Waxmann, Münster 1996

Donald W. Winnicott: *The Child and the Outside World,* Tavistock Publishers, London 1957

Donald W. Winnicott: *Familie und individuelle Entwicklung,* Fischer Verlag, Frankfurt/Main 1984

Donald W. Winnicott: *Das Baby und seine Mutter,* Klett-Cotta Verlag, Stuttgart 1990

Donald W. Winnicott: *Kinder, Gespräche mit Eltern,* Klett-Cotta Verlag, Stuttgart 1994